二見文庫

大東京の地下400年 99の謎

秋庭 俊 著

はじめに

次ページの地図は、１９２４（大正13）年に内務省主導でつくられたものである。

当時の陸軍航空部が第一次世界大戦で分捕ったドイツ製のカメラを使い撮影した航空写真に、建築家の中村順平が設計した都市計画を書きこんだ地図だ。

この地図に基づいて40キロメートル余りの地下網が戦前に築かれたことは、複数の都市計画、都市環境工学の専門家から確かな証言を得ている。これは、国民に隠された地下ネットワーク計画図なのだ。

外周の左半分は今のＪＲ山手線に重なり、右半分は明治通りに重なる。品川、大崎、渋谷、新宿、池袋、駒込、千住、錦糸町、亀戸、夢の島などが地下拠点になっている。

その内側のラインは今の地下鉄大江戸線と重なるところが多い。このラインの地下拠点は、汐留、六本木、青山一丁目、牛込柳町、上野、両国、勝鬨《かちどき》などである。

さらに内側のラインは江戸城（今の皇居）の外濠、内濠にあたる。ここの地下拠点は築地周辺、国会議事堂、靖国神社、神田錦町などである。

二万分一
東京近郊

本書では、徳川家康が江戸に幕府を開いてから現在まで、およそ400年の東京の地下の歴史を、厖大な資料と地図を羅針盤にして辿っていく。

いつ、どこに地下網がつくられ、今、それはどうなっているのか？　みなさんにお伝えできれば幸いである。

2008年9月

秋庭　俊

もくじ

はじめに

PART1　東京の地下建設は江戸初期から！

PART2 オランダ築城術と都市型城塞「江戸」の謎

PART3 江戸城の地下道網と「天下普請」の謎

PART4 明治新政府が進めた地下近代化の謎

PART5 地下鉄建設の黎明期に秘められた謎

PART6 震災後の「帝都復興」と地下変貌の謎

PART7 「帝都防衛」で拡大した地下要塞の謎

PART 8 戦後もなお残る大東京の地下の謎

PART1

東京の地下建設は江戸初期から！

1 都心の道路地下から戦国時代の「街道」が発見された！

今、車が走っている道路の地下に、400年以上前の「街道」が埋まっている、といっても、あなたは信じないかもしれない。

戦後の経済成長とともに生まれた高速道路は別として、一般道は多少の拡幅はあっても道路が上下に重なっているなんてことはありえない。ところが、「地下鉄7号線溜池駒込間遺跡調査会」は、この思いこみを見事に覆《くつがえ》したのだ。

1989（平成元）年、同調査会は地下鉄南北線の建設と並行して建設予定地の遺跡発掘調査を行なった。この調査団の副団長だった北原糸子氏は、著書『江戸城外堀物語』に次のように書いている。

「一九九三年夏、わたしはJR四ツ谷駅前通りの地下約六メートルのところで、江戸城外堀が築かれる以前の地面の上に立っていた。その地面は灰色がかった黒色で、水で濡れてはいたが硬かった。この硬いということは、考古学的には、この地面がかつて大勢の人間の足で踏み固められていたことを示している」

つまり、JR四ツ谷駅前の地下から、かつて大勢の人が歩いていた「街道」らしい地面が発見されたのだ。この遺跡調査団は、北の丸公園でも地下12メートルから同様の地面を見つけている。

さらに千代田区紀尾井町と平河町では、地下10メートルのところにかつての地面があった。いずれも、徳川家康が江戸に幕府を開き、江戸城を建設したころに大量の土砂によって埋められ、人の目から隠されてしまった、と考えられている。

「四谷」という地名の由来については、前著でも書いたが四方に谷があったからという説が有力だが、今の四谷には、どこを探しても谷がない。江戸時代の初めに、谷は大量の土砂で埋められてしまった、ということなのだ。

同様に、紀尾井町でも平河町でも、かつての道が土砂で埋められたことが遺跡調査で明らかになっている。はたして、なぜ、このようなことが行なわれたのだろうか？

2 遺跡調査が、太田道灌の「江戸城」が消えた謎を解いた！

「地下鉄7号線溜池駒込間遺跡調査会」の遺跡調査は、もうひとつ大きな成果をあげている。それは調査結果から現在の皇居、かつての江戸城の地層断面図（想定図）を描きあげたことだ。そこから、江戸城に関して、たくさんのことがわかった。

かつて天守閣があった辺りは東京層と呼ばれる台地（断面図の白い部分）の上に約20メートルの「盛り土」が見られる。「盛り土」の量は、本丸付近で約10メートル、二の丸付近で約10メートル、三の丸付近で約5メートルだから、天守閣の盛り土が最も多い。

この「盛り土」は、四谷で見つかった街道を隠していた土砂と同じで、江戸の初めに徳川家康によって行なわれたものだ。家康は、盛り土をした地面の上に１６０６年に本丸を建て、翌年に天守閣を完成させている。

同じ地層断面図で吹上の付近を見ると、台地の上には渋谷粘土層があり、その上に関東ローム層が重なっている。明らかに本丸付近と地層が異なっていることがわかる。つまり、本丸付近は四谷と同様に人工的に地層が変えられた可能性があるのだ。

本丸付近には、家康が城を建てるより約１５０年も前、１４５７年に太田道灌が建てた江戸城があったはずだ。だが、その跡すら残っていない。この時代の城で跡形もなく消えている城は珍しく、長く大きな謎とされてきた。

しかし、遺跡調査で、本丸付近の地層が変えられた可能性がある、とわかって、太田道灌が建てた城は「本丸付近の地下に眠っている」と考えられるようになった。そう考えれば、地層が異なる理由も、10メートルも20メートルも盛り土がされている理由も理解できる。家康は、道灌が建てた江戸城を土砂で埋めて消してしまったのだ。

江戸城内の地層断面想定図

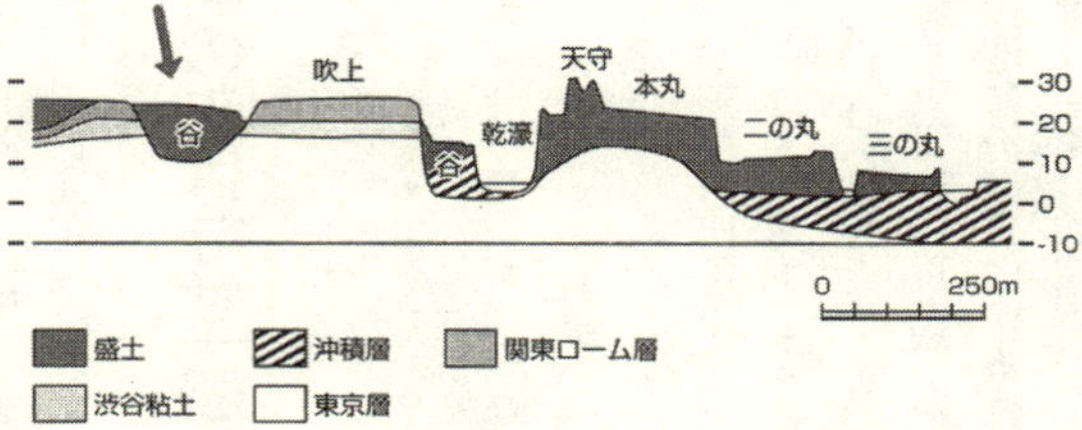

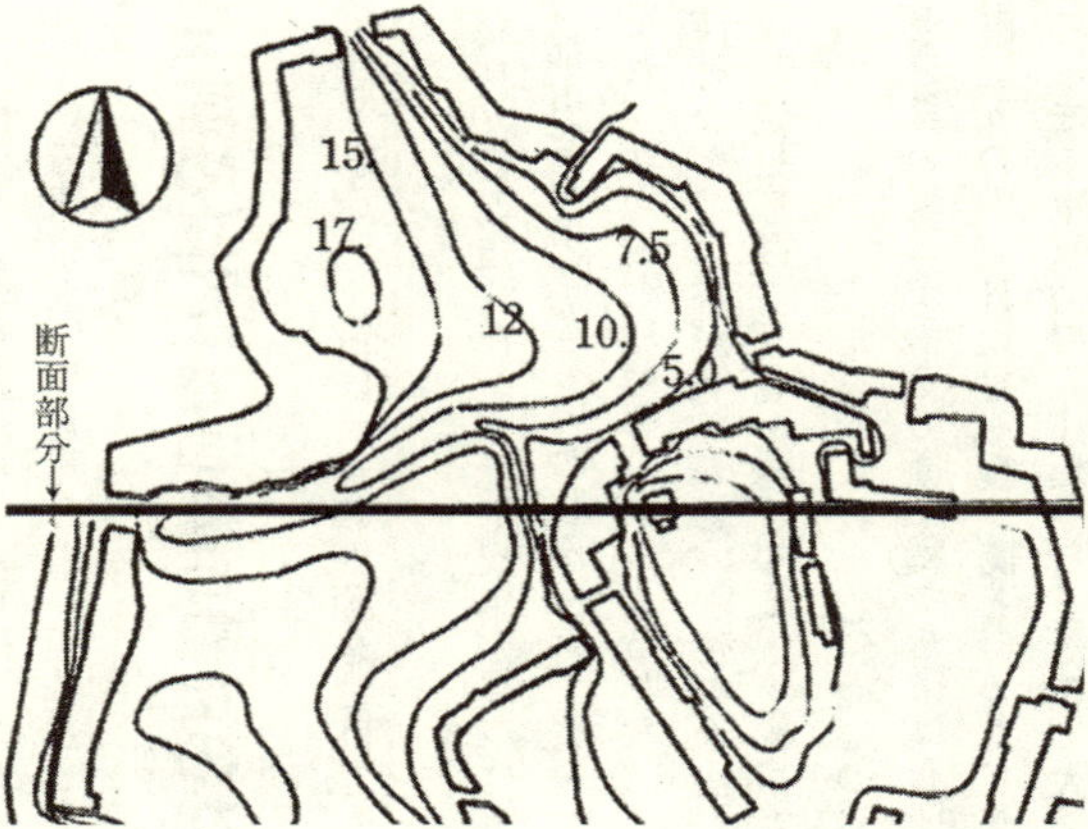

（『新編　千代田区史』より）

地層断面図を見ると、江戸城の天守閣があった辺りの台地が沖積層からぽっこり突き出ている。これは、道灌が城を建てたといわれている東京湾の三角州を思い起こさせる。

3 江戸の町はなぜ「盛り土」と「埋め立て」でつくられたのか?

地面の上に土砂を積み上げることを「盛り土」といい、海に大量の土砂を投げこんで陸地にすることを「埋め立て」という。

今でも宅地開発や都市再開発などで行なわれている技法だが、徳川家康が江戸に幕府を開き、諸大名に命じてやらせた、日本初の都市計画事業ともいわれる「天下普請」では、私たちの想像を超える大量の土砂が持ちこまれ、江戸城と江戸の町がつくられた。

遺跡調査団が調べた四谷や紀尾井町、平河町などでは谷が埋められ、一帯の地面が一気に10メートルも12メートルも底上げされ、地形が人工的につくり変えられた。かつて江戸城内だった北の丸公園付近は、敵の侵入を防ぐためか、なだらかな坂を急斜面につくり変えられている。いずれも現在、かつての地形を思い起こす手立ては、私たちにはない。

江戸城の内濠に沿って広がる竹橋、大手町、丸の内、日比谷、霞ヶ関といったビジネス街、官庁街は、いずれも家康が江戸城を建てるまで東京湾の入江だった。そこに大量の土砂が持ちこまれ、埋め立てられた。たとえば大手町や丸の内に標高3メートルの土地を造成したのも江戸幕府の命を受けた大名たちだ。

霞ヶ関は、さらに多くの土砂が盛られて地面は標高10メートルを超えている。なぜ、霞ヶ関が大手町や丸の内より標高が高いのだろうか？　その理由は明らかではないが、幕府が諸国の大名から江戸城を守るためだと、私は考えている。

後で詳しく述べるが、家康は、オランダの築城術を導入して、江戸城建設とともに江戸の町を秘かに「都市城塞」にしている。そのためにできることはすべてやった。標高差も要塞としての機能を高めるために行なわれた、と考えられる。

江戸初期に「盛り土」や「埋め立て」で造成された一帯には、現在、数多くの地下鉄路線が走っているが、それは決して偶然の結果ではない。江戸幕府が計画し、実施した「都市城塞」建設には、地下網建設が含まれていたはずだ。

4　川をせきとめ、地下に潜らせてできた「上水」の謎

江戸初期に敷設されたもので、長く謎とされてきたものに「上水」がある。江戸城や江戸の町で生活する人々に飲料水を提供する水路が「上水」と呼ばれていた。

奥多摩から江戸城までをつなぐ水路「玉川上水」は、わずか1年余りで完成したとされているが、当時の土木技術を考えると信じられないくらい速い。なぜそんなに速くできたのか？　確かな答えはわかっていない。

さらに謎めいているのが、新宿御苑から江戸城までの上水ルートだ。それは地下深くに隠されていて、どこをどう流れていたか、今もわかっていない。

地下水路は、将軍をはじめ幕臣たちの生命にかかわる飲料水を確保するためのものだったことから、軍事的にも機密扱いにされたことは理解できる。が、４００年経った今もわかっていないのは、まことに不思議だ。その謎を解くカギが「上水」のつくり方にある。

地面だったところを川にする場合、普通は地面を掘って水を流す。深さが10メートル、20メートルに達することになっても、それしか方法はない。

当時、河口が現在の飯田橋にあった神田川は、山の上だった駿河台を深く掘って水路を開き、浅草橋で隅田川に合流するように水路が変えられた。そういえば今、駿河台に「山の上ホテル」というホテルがある。

利根川が東京湾から銚子沖に河口を変えたように、水路が変更されて水が流れなくなったところや、川をせきとめてつくられたのが「上水」だ。

せきとめられた川幅いっぱいに木の枠を立てて木枠のトンネルをつくり、その上に2メートル以上の土砂をかぶせる。

その木枠のトンネルのなかに川から再び水を流すと、新たな地下水路が生まれる。これが江戸の「上水」なのだ。トンネルの上には、新しい土の道がつくられたという。

かつて「物は水の道、人は土の道」といわれ、水路が発達していた江戸には、たくさんの小さな川があった。それを幕府が江戸城を建設する過程で、川の水路を変え川をせきとめて、「上水」という地下水路につくり変えたのだ。

江戸の土の道は、その後、宅地に変わって、今では住宅やビルが建っている。その地下に「上水」が流れていたことを知る人はいない。「上水」がどこをどう流れていたのか、つくられたときから一度も公表されていないのだから、当然といえば当然の話だろう。

玉川上水、千川上水、青山上水、神田上水、三田上水など、東京の地下を流れた「上水」はみな、水路は謎のままなのだ。

5　大名屋敷の境目に発見された大きな溝は「地下道」か？

「上水」の謎のルートを推測した地図がある。鈴木理生・著『東京の地理がわかる事典』からの引用だが、玉川上水は、四谷大木戸門から外濠の下を抜けて四谷門から半蔵門を通って江戸城本丸に達している。

半蔵門の手前には国会議事堂のある永田町へ南下するルートがあり、麹町から赤坂見附に向かうルートもある。四谷大木戸門から外濠に沿って赤坂から虎ノ門に向かうルートは、新橋、銀座、築地、八丁堀、新川と広がるルートと日比谷、丸の内ルートに分かれている。

この水路は、地面から3メートル〜6メートルの地下にあった、といわれている。「遺跡調査団」が四谷などで見つけた、かつての街道は地下10メートルくらい。かつての街道の4メートル〜7メートル上を玉川上水が流れていたことになる。

それなら、玉川上水の敷設と、地形の変更をともなう大規模な盛り土による造成工事は、並行して行なわれた可能性が考えられる。同時に行なえば工事期間は短縮される。玉川上水が異例の速さで完成した理由のひとつはここにありそうだ。

そういえば「遺跡調査団」は紀尾井町で興味深い発見をしている、「明暦の大火」で焼失する前にあった譜代大名の屋敷跡から、屋敷と屋敷の境目に沿って延びる深さ5メートル、最大幅10メートルの大きな溝を見つけている。しかし、この溝が何だったのか、調査報告書にも記述がないし、誰ひとりとして専門家は語っていない。

下水の跡が溝の底に残されてはいるものの、下水路としては大きすぎる。私は、これこそ江戸の「抜け穴」＝地下道だと考える。

「上水」の推測ルート

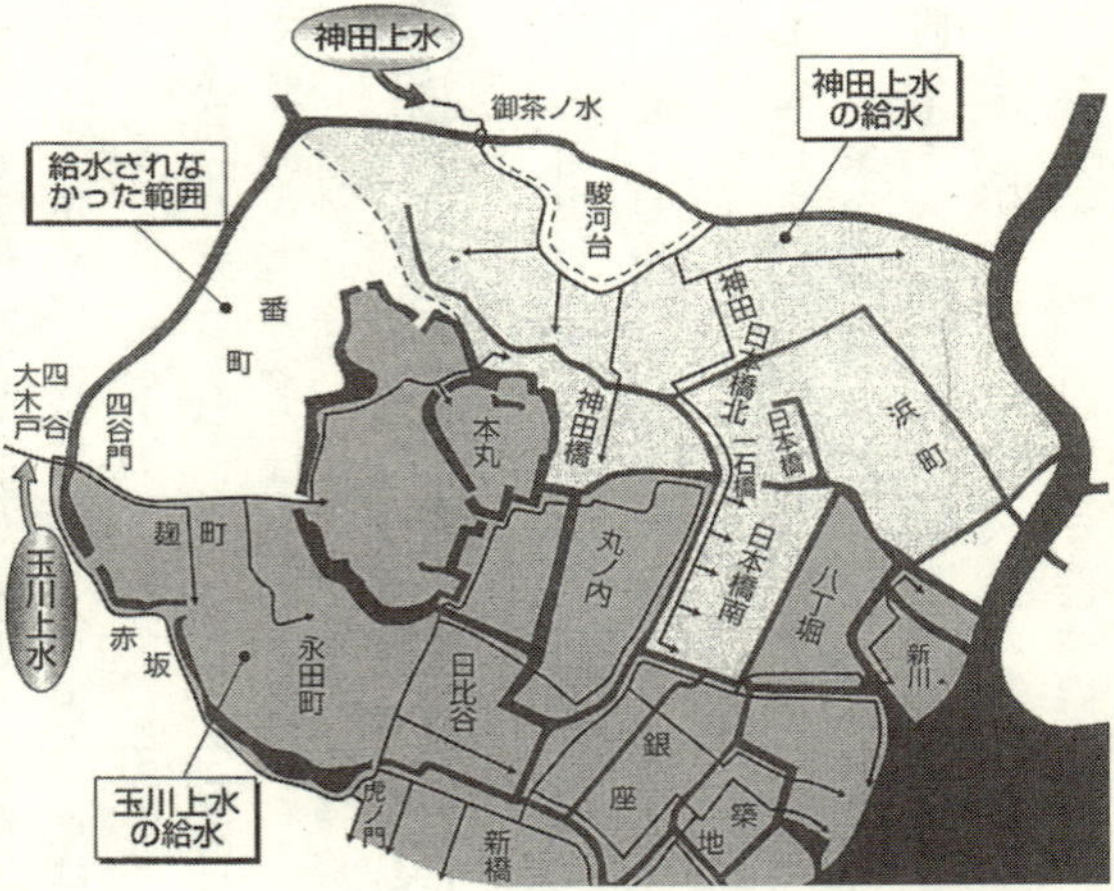

[『江戸の都市計画』鈴木理性（三省堂）より]
神田上水と玉川上水の給水範囲（『東京の地理がわかる事典』より

しかも、その溝が玉川上水の推測ルート近くから発見されていることを考えあわせると、玉川上水の地下トンネルが2段重ねになっていて、上は「上水」の水路として使用し、下は「抜け穴」として使われていたのではないだろうか？

玉川上水の水路が秘密にされていただけに、その溝は誰にも知られることのない、「抜け穴」として最高のルートだったはずだ。

6 井戸掘りが見つけた「地下の横穴と地下屋敷」の謎

「享保年中に、右白山に住まいし御右筆が井戸を掘らせけるに、いかほど掘りても水出ず。井戸掘り出でて申しけるは、はるか下に大なる横穴ありて水出でず。穴のうちに家のかたち見えたりという。

屋敷主怪しく思いて、井戸掘りに替わりて井戸に入り、かの穴に行きてみれば、広々とした書院づくりの家あり。上がりてみれば、砂子の絵馬ありけり。唐紙を開きて次の一間を見れば、同じようなる座敷なり。いま一間開きて入らんと思いしが、ものすごく思いて、はりたる絵馬を少し切りて持ち上がり、右の井戸を埋めてしまわれたりとなり」

江戸時代の随筆集『一話一言』にある随筆の一部だ。現代語に訳す必要がないような文章だが、訳すとこうなる。

白山に住んでいる人が井戸を掘らせたところ、いくら掘っても水が出ない。井戸掘り職人は「地下深くに横穴があって、のぞいて見ると家の形が見えた」という。

自分が井戸に入って横穴を進むと書院づくりの家があった。上がって2部屋見たが、怖くなって絵馬を少し切って持ち帰り、その後、井戸は埋めてしまったとか。

見てはいけないものを見たから埋めてしまったわけだろうが、書院づくりの家の主にばれたら命がない、と思った理由は、ただひとつ。そこは幕府の将軍とか老中の屋敷で、江戸城につながる地下道だったに違いない。

1722（享保7）年、千川上水が廃止され、白山に住んでいた人が井戸を掘った話だが、上水は廃止されて水が流れなくなると地下道になる。これも江戸の地下道だ。

7 国会議事堂裏の地下防空壕に「木造の家」の謎

1995（平成7）年に『霞ケ関一〇〇年　中央官衙の形成』という本が出版された。

過去100年間に霞ヶ関や永田町に建てられた官庁などの建物について書かれているが、そのなかに第二次世界大戦末期の防空壕について書かれたところに私は興味をひかれた。

中央省庁の非常時の行政中枢を組織的に確保する必要が生じたため、政府首脳のための防空壕が「中央防空壕」として企画された。この中央防空壕は国会議事堂裏の道路の地下に計画されたのだ。

大蔵大臣官房営繕課では、1944（昭和19）年春から調査を開始し、同年秋には工事に着手した。実施にあたっては、当初の計画を変更し、地下13～14メートルの位置とし、地表部分に厚さ80センチの耐弾層を設けることとなった。

この防空壕の断面図がある。地下14メートルほどのところに逆U字型のコンクリートのトンネルがあって、そのなかに木造2階建ての家が描かれている。地下深いところに防空壕を設置するのは理解できるが、なぜ木造2階建ての家を建てているのだろうか？

この不思議な図面を見ていて私は、白山の井戸の下の横穴から家を見たという江戸時代の小話（前項で紹介）を思い出した。

防空壕ができる前から、この家が建っていたのだ。そう考えないと説明がつかない。その幅は10メートルほどだから、かつて木枠のトンネルをつくり水を流した「上水」のつくり方に似ている。家が建っているところは江戸の地面ということだろうか？

「上水」といえば、玉川上水の水路は、国会議事堂付近まで延びていたことがわかっている。だとすれば、こうは考えられないだろうか。

このトンネルには、江戸時代のいつの日からか水が流されなくなって、誰かが隠れ家を建てた。当時は深さ5メートルくらいだったのだろうが、100年以上の時を経て、地面には10メートルほど土が盛られ、防空壕に適した深さになっていた。そこで、大蔵大臣官房営繕課が防空壕をつくり、逆U字型のコンクリートでトンネルを補強した。

これが、玉川上水の1944（昭和19）年の姿なのだ、と思う。

今、国会議事堂裏に、江戸時代につくられた地下水路や抜け穴がどんな形で残されているのか、私は知らない。しかし、400年の長きにわたって隠されてきた地下網があることは確かである。

8 江戸城から脱出する「抜け穴」や「地下道」の出口はどこに？

主君・浅野内匠頭の仇討ちのため大石内蔵助率いる47人の赤穂浪士が吉良上野介の屋敷を襲撃して、見事に上野介の首を取る話は、「忠臣蔵」として芝居や映画、テレビで長く日本人に広く親しまれている。

この話のなかに、上野介の寝室に赤穂浪士がたどり着いたとき、布団のなかはもぬけのから。どこに消えたかと探して、上野介が見つかったのは物置のなかだった、というくだりがある。はたして上野介は布団から脱け出して物置まで、どうやって移動したのだろうか？　正解は「抜け穴」を使って移動したのだが、物置が出口では逃げきれるわけがない。

上野介はどうして屋敷の外に逃げられる抜け穴を持っていなかったのだろうか？　と思った人が読者のなかにいるかもしれない。てっとり早い方法として隣の屋敷に出口をつくることが考えられる。しかし、これでは秘密の地下道が隣家に知られてしまい、「抜け穴」の意味がなくなる。逆に、赤穂浪士に利用されれば、その侵入を許す危険がある。

「抜け穴」の出口の条件は、屋敷なら、第一に他人に情報を漏らさない信頼できる人、親兄弟や親類の屋敷であること、第二に敷地が広いことだった。屋敷の外に出口をつくるなら、人目につかないこと、2つ以上の街道に面していることが条件として考えられた。

その条件をクリアする場所といえば、それは神社仏閣の他にない。平河天神や日枝神社は江戸城内から現在ある場所に移設されたし、神田明神も移動させられている。これは、不測の事態のときに将軍が江戸城から脱け出す抜け穴＝地下道の出口に使うためだったと思われる。こうした地下道は、江戸城から四方八方に延びていて、その出口は神社仏閣であったと私は考えている。

それが江戸の地下道網をつくっていたはずだ。

PART2　オランダ築城術と都市型城塞「江戸」の謎

9 家康はなぜ、江戸に幕府を開いたのだろうか?

徳川家康が江戸に入ったのは、1590(天正18)年8月30日。天下統一に成功した豊臣秀吉によって、駿河、遠江、三河、甲斐、信濃を統治していた家康は、関東七州(武蔵、相模、伊豆、上野、下野、下総、上総)に移封させられた。

禄高は150万石から250万石になったとはいえ、徳川家にとって縁の深い三河、遠江、駿河の国を失ったことは大きな屈辱だったはずだ。この屈辱をバネにして家康は、秀吉の死後4年半で天下を統一する。

さて、家康は「天下人」になっても駿府に戻らず、なぜ江戸にとどまったのだろうか?この謎についいては諸説あって統一した見解は出ていない。私は、家康がそれを決断した大きな理由のひとつが、江戸城の「築城」にあったと考えている。

1600(慶長5)年の関ヶ原の戦いに日本で初めて大砲が登場して、ヨーロッパと同じように大砲による攻撃に耐えられる城づくりが日本でも求められる時代になっていた。ウイリアム・アダムスとヤン・ヨーステンがリーフデ号で漂着したのも1600年だ。

家康は漂着した2人を罰するどころか、江戸に招いて西洋の数学や幾何学、航海術などを彼らから学んだ、と伝えられている。このなかで築城術も学んだに違いない。1604（慶長9）年に家康が建設計画を発表した江戸城は、それを証明している。

オランダの城にそっくりの、掘割と海に囲まれ、地下道や地下水路のある城だ。江戸城だけでなく周囲の地形も大規模な「盛り土」と「埋め立て」によって大きく変更された。家康は大砲による攻撃を想定した城を江戸につくったのだ。

もし、家康が居城を大坂や駿府に選んでいれば、すでにある城や城下町を取り壊さなければ「大砲による攻撃に耐えられる城づくり」はできなかった。しかし、当時の江戸は一面に原生林と湿原が広がっていて、城づくりを妨げるものは何もなかった。

オランダの築城術を知った瞬間から、家康には江戸以外の選択肢はなかったはずだ。

10　江戸城はオランダの「築城術」に学んでつくられた？

14世紀の前半、ヨーロッパに大砲という武器が登場する。当時の弾丸は石で、大砲にたくさんの石を詰めて、ドカーンと石をぶつけるのだ。1発の弾丸を詰めるのにプロの職人が2時間もかかる、というものだったが、戦争の様相は一変した。

最初の大砲は、動かせない据え置きタイプだったが、15世紀の後半になると移動が可能となり、フランスのシャルル8世はこれを用いて次々と城を落としていった。

正面に高い塔がそびえ左右に大きく城壁が広がっている城は格好の標的となり、石の城壁も鉄の扉も鉄の柵も大砲で吹っ飛び、2時間で城は崩壊した。

16世紀前半、フランスとスペインが衝突したとき、フランスが56門、スペイン30門、合わせて86門の大砲による連続砲撃が2時間も続いたと伝えられている。こうして、大砲の攻撃に耐えられる城をつくることが築城の最大の課題となった。

この課題に挑戦したのが、イタリアのレオナルド・ダ・ビンチだ。1505年に円形の宮殿が、1517年には正五角形の宮殿「ファルネーゼ宮殿」が建てられている。いずれも設計者不明だが、ダ・ビンチの築城理論に基づいて設計されたはずだ。

一方、ヨーロッパ最強のフランスが落とすことができなかったルクセンブルグでは、川と湖に囲まれた城がつくられていた。対岸から大砲を撃っても弾丸が届かない。城への道に兵を向けると、道の両側が切り立っていて、上から攻撃されると逃げようがなかった。

オランダでは、フランスの攻撃に備えて、イタリア式の五角形の城と水に囲まれたルクセンブルグの城の長所をひとつにしたような城が建ちはじめ、1527年にはオランダ式築城術の指南書というべき書物が出版される。

17世紀初頭、世界の海を越えて海外進出を始めたオランダは、世界一といわれた大砲とともに築城術を世界に輸出しはじめる。あのリーフデ号も、そんなオランダの商船のひとつだった。イギリスのジャーナリストが書いた『さむらいウイリアムス』によると、リーフデ号には最新の大砲19門、ライフル銃５０００丁、大砲の砲弾５０００個が積載されていた、という。この大砲がもし家康の手で没収され、関ヶ原の戦いに使われていたとしたら豊臣勢はひとたまりもなかっただろう。

リーフデ号が寄港したインドネシアのバタビアでは五角形の城が、ベネズエラのウイリアムスタッドでは七角形の城が建てられており、築城術が輸出されたことをうかがわせる。もしかして、日本にも武器と築城術を売りに来たのかもしれない。そして、家康との商談が成立し、江戸城の設計にオランダ式築城術が採用されたのではないだろうか？

11　「城を囲む水」と「地下空間」こそオランダ式築城術

オランダの「水の下に眠る城」ナールデンは、広大な運河のなかにある。16世紀に城が建設された当時の大砲では、運河があるため砲弾は城に届かなかった。大砲から城を守るのは石の城壁でもなく金属の砲弾でもなく、水だったのだ。

城を取り囲む水には、もうひとつ大きな役割があった。砲撃のたびに火薬が爆発するので砲床や砲身はすぐに熱くなる。砲室の温度が上がりすぎると大砲の性能に悪い影響を与えるので水で冷やさなければならなかった。大砲の内部を洗浄するときにも、砲撃を受けて城内に火が出たときにも水が要る。武器弾薬を保管しておく場所にも水が使われた。

ナールデンは「水が城を囲み、水が市街地を囲む」典型的なオランダ式都市要塞だが、砲台が分散しているため、どこか一方から多数の大砲で集中砲火を浴びせられると太刀打ちできない。

そこで、兵力を増員したり、大砲を移動したりして集めるために、人と大砲を自由に動かせる地下道網が最初からつくられていて、城の中心には広大な地下空間が広がっている。今でも公共施設の多くが地下にあるが、当時の城の中枢機能も地下にあった。そこから市街地に地下道が縦横に走っていたという。大砲の性能が上がって砲弾が届くようになっても、いざとなれば運河の下の地下道を利用して安全に城から脱出することもできた。

地下鉄南北線の遺跡調査では、江戸城内濠の半蔵濠と千鳥ヶ淵の地下に空間のあることを断面図で明らかにしている。江戸城にも地下空間があったはずだ。

赤坂見附近くの弁慶濠と市ヶ谷―飯田橋間の外濠の地下には現在、地下鉄の車両基地がある。この2つの地下空間は、オランダ式築城術で江戸城が建てられたときに、外濠建設と同時につくられたものと考えている。

江戸城内の地層断面想定図

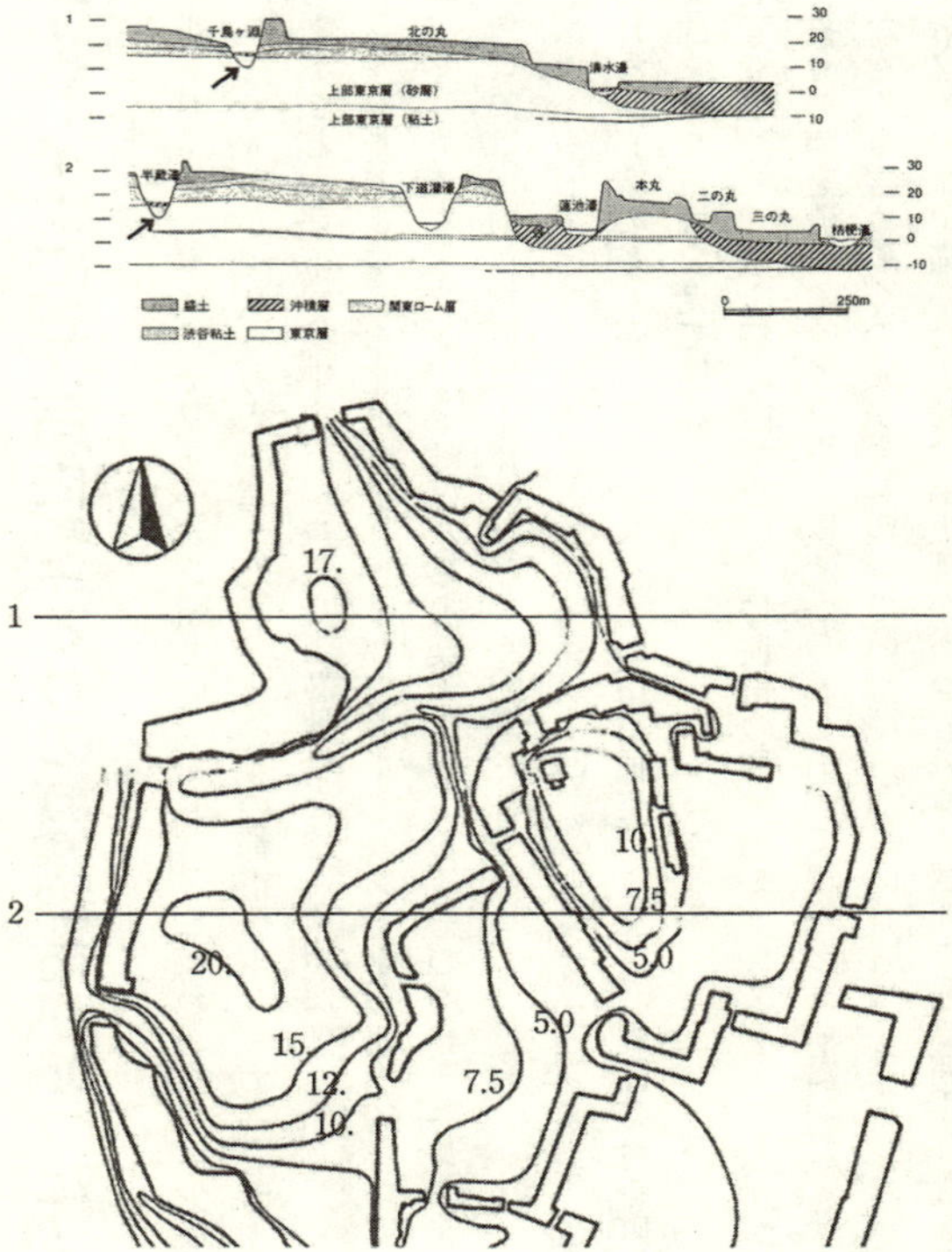

（『新編　千代田区史』より）

12 発見! ドイツにも江戸にそっくりの城塞都市があった!

ドイツのノルトライン・ヴェストファーレン州といっても、どこかわかる人は少ないだろう。最新の統計で人口が100万人を超えたドイツ第4の都市ケルン、デュッセルドルフ、ドルトムントなど大都市が集中する、ルール工業地帯を抱える州だ。

その州都デュッセルドルフから北東へ120キロ、ドルトムントから北へ60キロほど行ったところに、ミュンスターランドと呼ばれる農業地帯がある。その中心ミュンスターから半径40~70キロには、畑と牧草地と林がほどよく配置されている。

このミュンスターランドで「真珠のごとき光を放っている」とされているのが「水城」だ。ここを訪れる観光客の多くが、ミュンスターの市街地だけでなく、周囲の村や町に点在する掘割で囲まれた古城を見て回る。

ここは今も昔も平野で、城を築く山がない。17世紀の初め、ミュンスターの人々が二重三重の堀をつくり、南を流れるライン川の支流から水を引いて城塞を築いたのだ。その後、手を加えられたものも含め多くの城が今も残っている。

このミュンスターの城を描いた当時の銅版画が残っている。周囲を堀で囲まれたなかに五角形（少し形を崩して北西方向に傾いているが）の城下町があり、その中心に城がある。砲台らしきものが外に突き出ている。

これを見たとき私は、「江戸に似ている」と、直感的に思った。今の東京の地図から江戸の面影を見ることはできないが、森鴎外が１９０９（明治42）年につくった「東京方眼図」で見ると、江戸とミュンスターが実に似ている。

江戸初期に掘削された神田川から外濠そして汐留川が、ミュンスターの城を囲む掘割と同じように江戸城を取り囲んでいる。その内側には、崩れてはいるが五角形のエリアがあり、中心にある江戸城の周囲には内濠が掘られている。

13 ヨーロッパで戦争から人々を救ったオランダ式築城術

日本では戦国時代といわれ、諸国の武将が天下統一を目指して戦っていたころ、ヨーロッパではローマ教皇を支持するカトリック勢力とローマ教皇の支配に反発するプロテスタント勢力が各地でぶつかり、凄惨な戦争が起きていた。

家康が天下を統一して幕府の支配が確立したころ（１６１８年）にドイツでは「三十年戦争」が起きている。プロテスタント勢力の反乱をきっかけに勃発した宗教戦争から対立する民族による戦争になり、やがてハプスブルグ家とヨーロッパ諸国を巻きこんだ国家間の覇権争いに発展した戦争だ。

この戦争のなかで権力に振り回され国土を荒らされたのが、ミュンスターのようなドイツの小国、都市国家であった。ミュンスターの城ができあがったのは1630〜1640年ごろと思われる。ここにいたのは宗教改革を目指す勢力でも過激な再洗礼派だった。

彼らは神聖ローマ帝国からの独立を目指して当初はプロテスタント勢力と手を結んでいたが、やがて意見の対立からプロテスタント勢力からはじき出され、仕方なくプロテスタントでありながらカトリック勢力と手を結ぶ。

非常に危うい位置にあったミュンスターの再洗礼派は、周りの勢力から自らを守るためには強固な城塞をつくる必要に迫られたのだ。結局、独立はかなわなかったが、最新の築城術で建てられた城は、そこに暮らす人々を守った。

宗教改革といえば、カトリック勢力は、戦国時代のころからアジアに多くの宣教師を送りこんでいる。日本にもやってきて諸大名に西洋文化を伝えるとともに、その力を借りて布教活動を行なったことはよく知られている。

リーフデ号が日本に漂着したとき、オランダの商船ということで、ウイリアム・アダムスとヤン・ヨーステンの処刑を求めたのはカトリックの宣教師たちだった。しかし、家康は彼らの要求を無視して2人を重用し、宗教戦争を起こさせなかった。

14 江戸城の設計に深く関わっていた2人の外国人の謎

徳川家康は、幕府を開いて2年、1605（慶長10）年に将軍職を秀忠に譲り、1607（慶長12）年に静岡の駿府城内に新たな政府組織をつくっている。その後、この組織が幕府の実権を握り、「天下普請」という大事業を計画し進めるのだ。

その組織の顔ぶれは、大名の本多正純、藤堂高虎が軍事、行政を担当し、豪商の茶屋四郎次郎らが貿易を、大久保長安らの代官頭たちが税制を、ウイリアム・アダムスとヤン・ヨーステンが外交を、金地院崇伝らの僧侶、学者の林羅山が宗教政策を担当していた。

宮元健次氏の著書『江戸の都市計画』によると、江戸城建設と江戸の防衛計画は、多くの城を手掛けた「築城の名人」藤堂高虎がつくったプランに、徳川家康が朱を入れるという形で進められたという。しかし、私は、ウイリアム・アダムスとヤン・ヨーステンが家康にアドバイスしていたと考えている。

ウイリアム・アダムスはイギリス人。1588年に海軍に入り、スペイン艦隊を負かしたイギリス艦隊の貨物補給船の船長を務めている。翌年に結婚すると海軍を離れて、イギリスの商船の航海士や船長として北欧やアフリカに航海している。

ヤン・ヨーステンは、世界一といわれる大砲をつくっていたオランダ軍の砲手であったが、ロッテルダムから5艘の船団を組んで東アジアを目指す航海に参加。リーフデ（オランダ語で愛という意味）号の航海士であるアダムスと出会う。

1598年にロッテルダムをスタートした航海は惨たんたるもので、太平洋を横断して目的を果たしたのはリーフデ号だけ。乗組員も110人からわずか24人に減っていた。今の大分県臼杵に漂着したのは、オランダを出発してから約2年後のことだった。

家康と何度となく会った2人は、航海のルートや目的ばかりでなく、ヨーロッパでのプロテスタントとカトリックの戦争についても話したに違いない。家康は、宣教師たちの「海賊船」という情報が偽りであることを知ってからは、宣教師たちの声を無視して彼らを釈放して江戸に招き、幕府のブレインにする。

2人には屋敷を与え、日本の女性と結婚させ、ウイリアム・アダムスには三浦按針という名を与え、旗本に取り立てている。いかに2人を信頼していたか、これだけでもわかる。

ところで、藤堂高虎が「築城の名人」といっても、オランダの城については別である。高虎のプランについて2人が意見を具申して、家康が高虎のプランに朱を入れていたのではないだろうか？　家康を通してであれば、高虎も耳を傾けたはずだ。

15 「正五角形の砲術」から生まれた「正五角形の城」

江戸城のような五角形の城や要塞がヨーロッパで築かれるようになったのは、ダ・ビンチの『正五角形の砲術』といわれる理論が完成してから、といわれている。

ダ・ビンチは、古代ギリシャ時代から、人間にとって最も安定し、美しい比率とされてきた「黄金比」に着目し、正五角形の辺と対角線が「黄金比」になっていることに気づいた。これを砲術に応用したのが「正五角形の砲術」だ。

大砲を直線で結べば正五角形になる位置に置くと、正五角形の対角線がつくる五角形のなかならどこでも「十字砲火」が成立する。つまり、2つの砲台から発射された砲弾が十字に交差して命中し、敵をやっつけることができる。

点でなく面で攻撃できるのが「正五角形の砲術」の特長で、正四角形や正六角形、正八角形では、中心と辺でしか「十字砲火」が成立しない。「正五角形の砲術」が広がると、当然、城や要塞のつくり方が変わった。

そこで生まれたのが「正五角形の砲術」を敵に使わせない城だ。その形は実にさまざまだが、最もシンプルなのが正五角形である。城の中心にいる城主は城を正五角形にしてお

私の考える江戸城の五角形

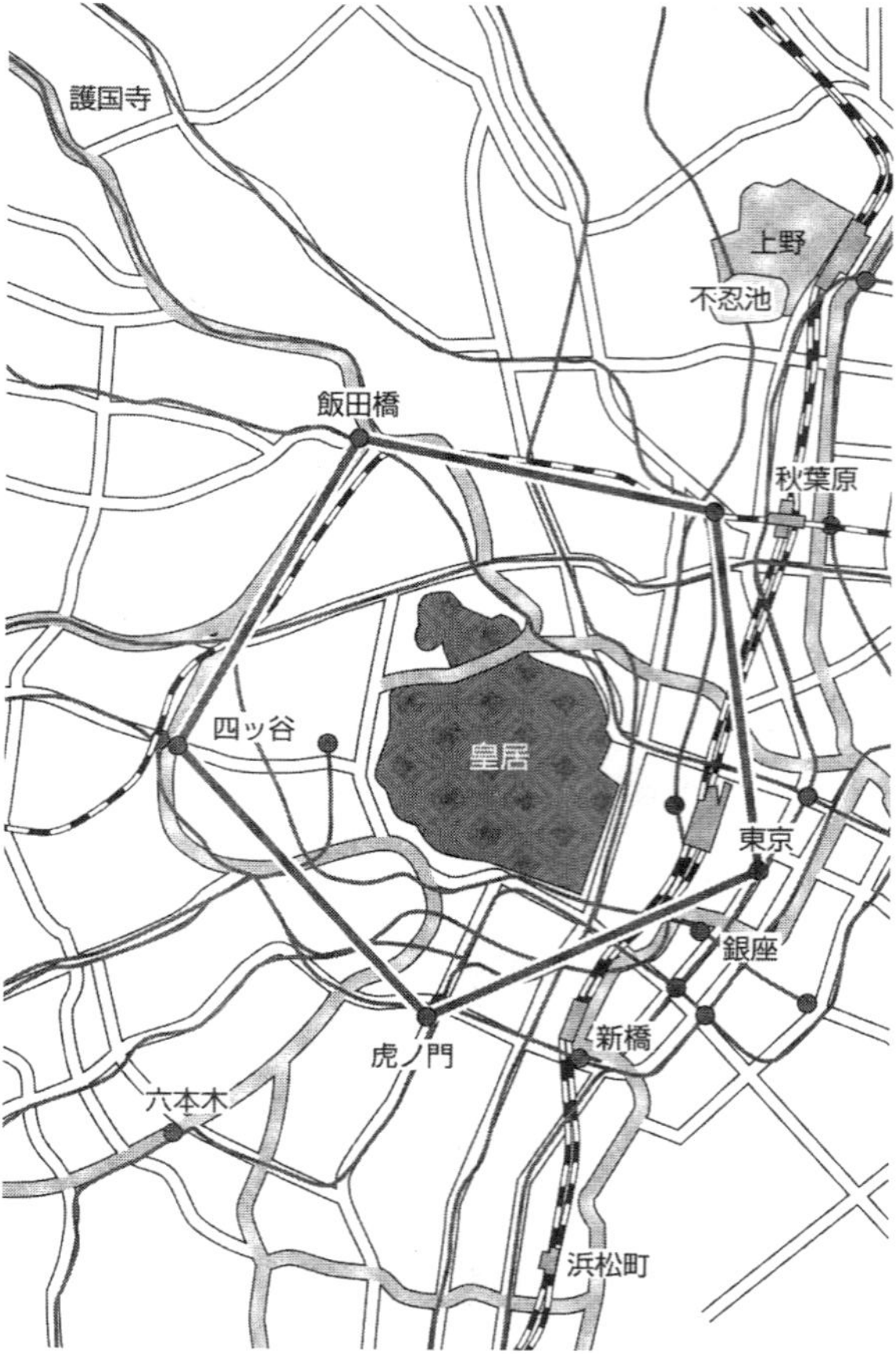

けば、敵は正五角形の位置に大砲を配置できず、安全でいられるのだ。

「オランダ式築城術」は、この正五角形の城に海や川、掘割などの水で大砲の射程圏から逃れる方法を加え、さらに射程距離の長い砲弾が飛んできても反撃できるよう地下道網を加えているのが画期的だ。

そして、城を取り囲む都市や地域をまるごと要塞化して戦うという考え方を導入した。いうなれば、城から都市要塞に発想を変えたのが「オランダ式築城術」で、ヨーロッパでは多くのプロテスタント系の都市国家に採用されたのだった。

日本では、徳川家康がこの「オランダ式築城術」を江戸城建設に採用したことで戦国時代が終わり、黒船来襲まで江戸の防衛は危険にさらされることなく維持されたのだ。

16 都市型城塞・江戸は、このようにつくられた!

江戸城を中心にした大きな円、仮にそれを江戸の町とすると、その円弧に8個の正五角形を敷き詰める。ただし、敵に読まれないように、実際はわざと円弧の一部をへこませたりしているので、城壁は必ずしも円を描いているわけではない。

円弧に敷き詰めた正五角形の外側、角のところに砲台をつくり、その地下に弾薬庫を置く。砲台と砲台をつなぐ正五角形の辺のラインと砲台と江戸城をつなぐラインには、人や弾薬を運ぶための地下道をつくる。その内側に、江戸城から8つの砲台に向かって延びる地下道のラインを辺とする五角形を敷き詰める。いずれの五角形も実際は1辺が400～500メートルの小さいものだったろう。こうして敷き詰められた五角形の中心に、やはり五角形の江戸城がつくられた。

中心の江戸城には天守閣、本丸が建てられ、城壁の下には石垣が積まれ、濠が周囲を取り囲んでいる。円弧の外側に外濠ができ、神田川の水路が隅田川まで延びて、五角形の城の形が整うのが1607（慶長12）年。

その後、江戸城が西に広がると中心の五角形も拡大し、新たに城壁と石垣、濠がつくられる。それができあがったのが3代将軍家光のころ（1620年代）だ。参勤交代が制度化されて、今の霞ヶ関に大名屋敷群ができ、外濠が右渦巻きの形に江戸城を囲むようになったのは1636（寛永13）年のことだ。

五角形と五角形のすきまには、比較的スペースの広い地下拠点が設けられた。その地下拠点の上に神社仏閣を置くため、日枝神社や神田明神など神社仏閣の移動が江戸時代の初めに行なわれている。今の三宅坂には「隠れ砲台」があったらしい。

このように江戸の町全体に敷き詰められた五角形の辺に地下鉄を走らせれば、さらに大きな都市要塞を建設することが可能になる。

第一次世界大戦後、それが計画され実行された可能性はあるが、公式には、実現しないまま、戦後の地下鉄建設を待つことになる。

17 「五角形」で浮かび上がる江戸の町の謎

江戸の町に五角形を敷き詰める、といってもピンとこない読者も多いのでないだろうか。そこで、実際の地図で五角形を探してみることにしよう。使用するのは森鴎外の「東京方眼図」だ。この地図を見ていると、私には五角形が浮かび上がって見えてくる。

たとえば、靖国社（今の招魂社）の北に築城本部がある。その東に沿って外濠に向かう道と右折して赤十字社の方向に向かう道の角度が108度（五角形の内角）ぐらいだ。2つの道に沿ってラインを引く（道のないところも）。

水道橋の南、少し東に108度くらいの曲がり角がある。一丁目と三丁目を分ける道路と三崎町から飯田町停車場に向かう道路に沿ってラインを引く。すると、築城本部東側のラインと飯田橋停車場の西で交わる。その角度も108度くらいだ。

このようにしてラインを引くと、次ページの図のような五角形が浮かび上がってくる。

浮かび上がる五角形

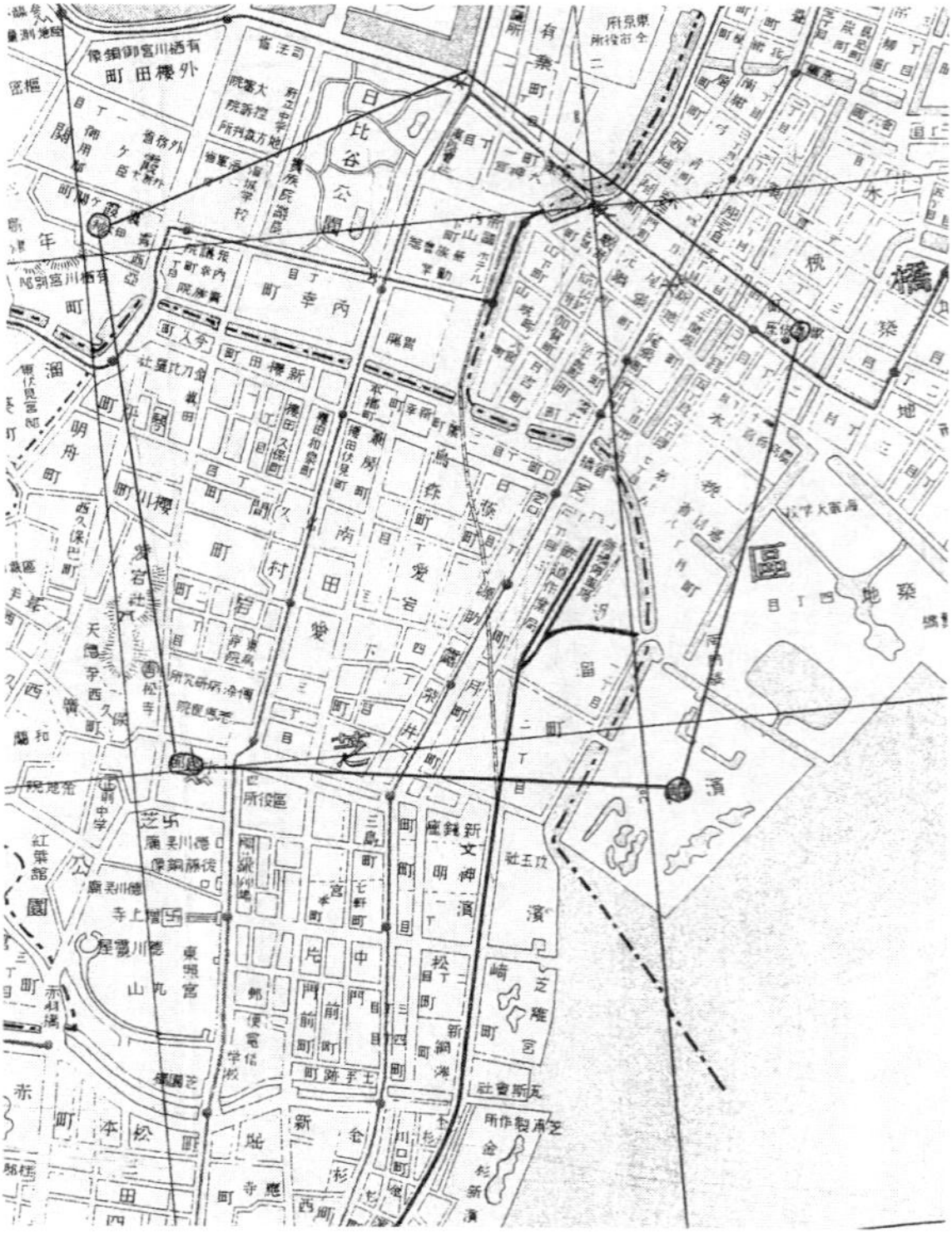

（森鷗外の『東京方眼図』より）

正五角形とはいえないが、築城本部東側のラインは南に延ばすと「宮城」に達する。ここは、かつての江戸城西の丸、多くの将軍がここを住まいとしていた。

江戸城のいちばん外側の五角形のひとつは、これだったのかもしれない。このすぐ東には、砲台があった御茶の水を頂点にした五角形があったはずだ。このように108度ぐらいの曲がり角をさがすと、意外なところに五角形が見つかる。

神田明神や平川天神のように、外濠の内側から外に出された神社仏閣の移動ラインを、正五角形の中心線と考えてみると、そこからも五角形が見つかる。

地図にさまざまな五角形を描くと、2つの五角形が必ずしも辺と辺をピタリと接していたわけではなく、重なっているところもあったこともわかってくる。その五角形のどのラインに地下道が走っていたのだろうか？ それは次のPART3で探ることにする。

18 江戸城以外にもある「五角形の城」の謎

五角形の城は、江戸城以外にも石川県の金沢城、愛媛県の宇和島城、新潟県の新発田城、福井県の丸岡城などがある。江戸城によく似た水城もあれば、大坂城に似た城もあるが、いずれもヨーロッパの築城術をどこからか学んだことを感じさせる。

石川県金沢市にある金沢城は五角形だ。百間堀《ひゃっけんぼり》、白鳥路、大手堀、尾崎神社から県立体育館付近、宮守堀《いもりぼり》と、不等辺五角形になっている。

小立野台地の先端を利用した、もともとの地形が原型になっているが、五角形にしたのは佐久間盛政で、百間堀をつくって小立野台地から切り離したのが最初といわれる。さらに前田利家、利長の時代に大手門側に敷地を広げたり、玉泉院丸などの増築で五角形にしたりしたことがわかっている。江戸城建設より以前の話だ。

金沢城は、五角形のほかにも、本丸の前に広場があること、本丸の裏側に巨大な堀があることなどが、豊臣秀吉の居城であった大坂城に似ている。それで大坂城がモデル、といわれているが、ヨーロッパからやってきた宣教師から築城術を教わったのかもしれない。

愛媛県宇和島市にある宇和島城（別名鶴島城）も五角形だ。この城を建てたのは「築城の名人」といわれ、江戸城建設でも重要な役割を果たした藤堂高虎だ。1596（慶長元）年から5年がかりで建てたといわれているから、江戸城建設の直前だ。

当時の宇和島城は外郭の半分が海という「水城」で、今でも宇和島市の市街地は城を中心に五角形の形をしている。オランダの水城と共通する点が多く、藤堂にとっては江戸城建設のリハーサルになったのかもしれない。

同じ五角形でも金沢城とは地形的にも異なっており、築城したのが藤堂高虎となると、

宇和島城と五角形の外郭

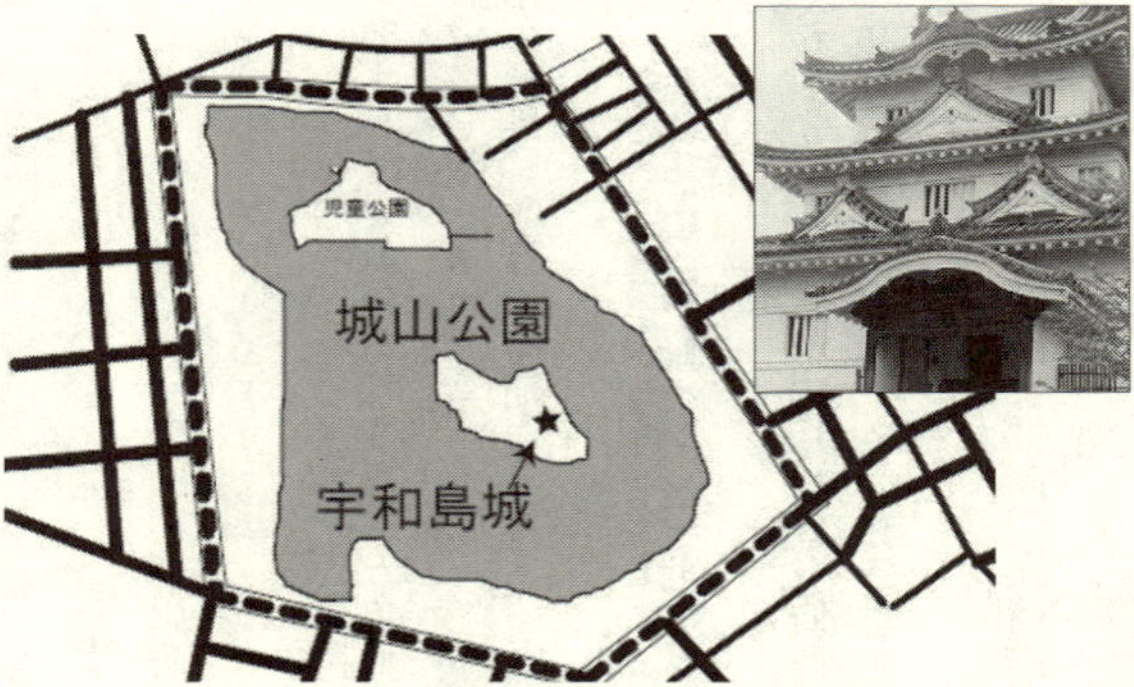

宇和島城は五角形の外郭（道路）で囲まれている

もしかして高虎は「オランダ式築城術」を家康から、いや、ウイリアム・アダムスかヤン・ヨーステンから学んだかもしれない。

新潟県の新発田城は、北に加治川が流れ、左右は深い沼沢、広い三角州の上に建てられている。太田道灌の江戸城に似ている。

築城工事が行なわれたのは１５９８（慶長３）年とされているから、宇和島城とほぼ同じころだ。

建てたのは豊臣秀吉の命令で越後に移封させられてきた溝口秀勝で、当時の新発田川の本流と支流を利用して外濠をつくり、新たに今の新発田川を掘って城下町の防衛線にしたとされている。

よくできた水城だ。事あるときは、加治川の堤防を切って城を守った、という話も伝えられている。

福井県の丸岡城は、1576（天正4）年、柴田勝家の甥、勝豊が築城した城で、石瓦で葺かれた天守閣は現存するものでは日本最古といわれている。今の丸岡城は、17世紀のなかごろというから、江戸城建設の後に、本多重能が改修したものといわれている。

本丸を中心に、北に二の丸、三の丸、東に東の丸を配した五角形の城で、周りを幅広い堀で囲まれているのが特徴だ。五角形のなかに市街地こそないが、堀に囲まれた城は「水城」の趣があった（残念なことに、今は堀が埋め立てられて、見ることができない）。

この城は、改修の時期から考えると、江戸城をモデルに改修された可能性がある。

19 伊達政宗は「イタリア式築城術」を入手しようとしていた!?

1613（慶長18）年10月28日、仙台藩62万石の大大名、伊達政宗の命を受けた支倉常長はサン・ファン・バウティスタ号で月の浦を出発。ヌエバ・エスパーニャ（今のメキシコ）の港アカプルコに向かった。

アカプルコから陸路を進み、大西洋側の町ベラクルスに出ると、そこから再び船でエスパーニャ（今のスペイン）へ。着いたのは1615（慶長20）年1月。支倉は国王フェリペ3

世に謁見したが、派遣の目的であった通商（貿易）交渉は成功しなかった。

その後、最終目的地ローマに到着したのが同年11月だ。ドン・フィリッポ・フランシスコという洗礼名を持つキリスト教徒であった支倉にとっては、このときローマ教皇（法王）パウルス5世とも謁見したことが最大の収穫だったに違いない。

それから5年近くも経った1620（元和6）年9月、支倉は目的を果たせず、失意を抱えて帰国したとされている。

しかし、彼が帰国したときにはすでにキリスト教の禁教令が出ていて、失意を抱えたままの帰国から2年後の8月に亡くなっている。

支倉の派遣は、1609（慶長14）年に台風で今の千葉県御宿町に漂着したエスパーニャのフィリピン総督ドン・ロドリゴ一行に、家康が三浦按針（ウイリアム・アダムス）が建造した船を贈り、ヌエバ・エスパーニャに還したことから、実現したものだった。

その意味では、幕府からもそれなりの期待を受けていいはずだが、支倉がキリスト教徒であったからだろうか、幕府は派遣を支援することはなかった。

支倉自身は、その功績に免じて処刑を免れたが、息子、常頼は召使がキリシタンであることの責任を問われて処刑され、支倉家はお家断絶の処分を受けている。

当時の大大名で、外国の事情にも目を向ける文化人でもあった伊達政宗が、キリスト教徒の支倉を派遣したのには裏があると、私は思う。エスパーニャとの通商交渉は表向きの目的で、政宗の目的はローマにあったのではないだろうか。

伊達政宗ならともかく、一大名の家臣にすぎなかった支倉にはエスパーニャとの通商交渉は荷が重すぎる。しかし、ローマ教皇に謁見するとなればキリスト教徒の支倉が最適任者であったことは私にも想像がつく。

秀吉の死後、家康に取り入って大大名のひとりとなった伊達政宗に天下取りの野望がなかったとしても、江戸城が「オランダ式築城術」で建設されていることは知っていたはずだ。となれば、当時のヨーロッパの築城術に大きな関心を持っていたに違いない。

支倉をローマに派遣した目的は、「イタリア式築城術」についての情報を集めることではなかったのだろうか。

そこに家康を打倒する秘術が隠されていないか、そんな思いも支倉に託したかもしれない。しかし、支倉がどんな土産を持ち帰ったかはわかっていない。

20 広島城もオランダ式築城術で建てられたのか？

16世紀の後半にオランダのシモン・ステヴィンという数学者が残した理想都市図にある

都市計画の原理と「毛利輝元のもとに1589年の築城に続いて建設された広島城下町計画に、ある類似部分がある」と、杉本俊多・広島大学大学院工学系研究科（社会環境システム専攻）教授が、ホームページに書いている。

また、16世紀初頭のウイレムシュタッドというオランダの都市の計画図を見て、「大規模にすれば広島城下町計画に共通するものがある」とも書いている。教会堂を中心にした七角形の町で、中心軸は水路ではないが、港と裏手に引きこみ線のような水路がある。

広島市は、毛利輝元が築城した広島城を中心にした城下町だ。城は3重の堀に囲まれ、武家町は堀を隔てた北と東に、町人は南側の西国街道沿いに集まって暮らしていた。その都市づくりが当時のオランダの都市づくりに似ているのだという。

なぜオランダの都市が広島と似ているかについては明確な答えを出していないが、スペインやポルトガルの船でやってきたオランダ人から何らかの情報が毛利輝元に流れてきたのではないかと、杉本教授は推測している。

16世紀末に築城術を完成させたオランダは、世界に大砲とそれに耐える城づくりの理論を売り回った。

そのひとつがオランダ商船リーフデ号だと思っていることはすでに述べた。この時期、カトリックの宣教師をはじめ異国人が数多く日本にやってきている。

広島城の築城はリーフデ号漂着の直前だから、杉本教授が推測されているように、何らかの方法でオランダの築城術を広島の城主、毛利輝元が耳にした可能性はじゅうぶん考えられる。当時の広島は港町であり、商人の町であった。

大坂城を中心につくられた城下町・大坂も水路と海を巧みに生かした町であり、毛利輝元が豊臣秀吉の命令を受けて朝鮮征伐に出かけていることから、広島城を秀吉の発案とか秀吉の命を受けた人間がプランをつくったという説もあるが、どうだろうか？

私は、偶然知った「オランダ式築城術」から広島の町に適合するものだけをピックアップして、毛利輝元がプランをつくったという説を支持したい。

江戸城との違いは、天下人となった家康と一大名にすぎなかった毛利輝元の違いで、たとえ輝元が考えていたとしても江戸城を広島に建てることは不可能であった。

21 幕府の命令で函館の五稜郭はつくられたが…？

ペリー来航を受けて国防政策の見直しを迫られた徳川幕府は、東京湾ばかりでなく全国1000カ所に砲台の建設を命じている。その代表的な砲台が1866(慶応2)年にできた函館の五稜郭だ。初期設計図を見ると、五稜郭の中核は五角形になっていて、そこから

五稜郭初期設計図

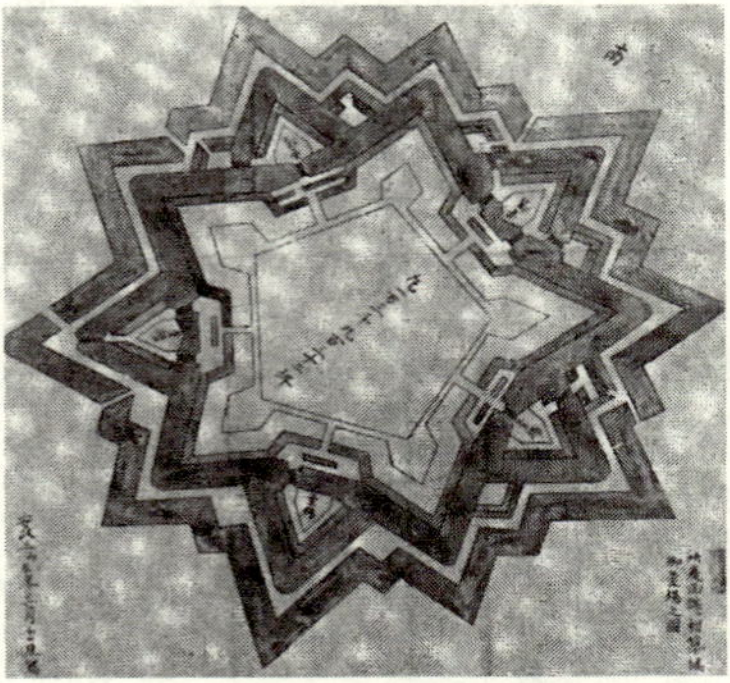

（『函館市史』通説編第一巻より）

ギザギザが外に突き出している。このギザギザの先に砲台があり、攻めてくる敵船に十字砲火を浴びせるしくみになっていた。城壁は3重構造になっていて内側の城壁にも砲台がある。

このきわめて複雑な構造は、オランダ、ナールデンの初期設計にそっくり。オランダの築城術をそっくりコピーしたような設計だ。しかし、資金不足もあって計画は縮小されて、「オランダ式築城術」のよさがなくなったといわれている。

たとえば、本来なら2重3重に砲台を設けるべきなのに、つくられたのは大手口の1カ所だけ。また、本来高い建物は標的になるので建ててはいけないのだが、函館開港時に函館奉行所がおかれている。

砲弾のショックを吸収するため土塁を築くのが常識だが、冬に凍った土が春に溶けて崩壊するという寒冷地ならではの問題があって、石垣を築いた上に土を盛っている。

最大の問題は、大砲を据えての攻撃でなく小銃を用いた攻撃を前提にした、時代遅れの代物だったことだ。

1868(明治元)年の戊辰戦争では、佐幕派が五稜郭を占領したものの7カ月で明治新政府軍に敗れ、明け渡した話はよく知られている。

一時、陸軍の要塞兼練兵場として陸軍に使われたこともあるが、1914(大正3)年に公園として一般に開放された。今は、高さ107メートルの五稜郭タワーが建っていて、往時の面影はない。

PART3 江戸の地下道網と「天下普請」の謎

22 「天下普請」は、東京で初めての都市計画事業?

「天下普請」とは、天下人が命じた建設工事という意味だ。江戸時代の「天下普請」は、徳川家康が征夷大将軍となり江戸幕府を開いた1603(慶長8)年に始まる。

命令された大名には断ることは許されず、どんな苛酷な工事でもやりとげなければならなかった。全国から約30の大名を動員した江戸城の石垣づくりも、この時期に行なわれていて、伊豆の採石場から江戸城まで何十万個もの石を舟で運ばせたといわれている。

これにも増して大工事だったのが、日比谷入江の埋め立てだった。この埋め立ては、江戸の土地を広げるということよりも、敵の船が江戸城のすぐ近くに来て砲撃してくるのを防ぐという軍事的な目的で行なわれ、入江を挟んだ江戸城の対岸には、海軍司令部にあたる「舟の御役所」が設けられている。

1611(慶長16)年に西の丸(今の皇居)が建てられ、江戸城は西に広がった。その3年後には、西の丸下に外濠ができ、石垣が積まれた。そして江戸の水路が大きく変更されている。江戸城と江戸の中心街を洪水から護るというのが表向きの目的で、実は、水で城を守る「オランダ式築城術」による工事がさらに進められた。

このようにして江戸城の建設と江戸の都市城塞建設は、「天下普請」の期間に大きく進んでいる。江戸城を中心とした城下町江戸がつくられていくことから、「天下普請」を都市計画事業とする人が少なくない。しかし、私には、そう思えない。

その後300年近くも徳川幕府が続くとは、当時、誰も思っていなかったはずだ。やっと天下を取った家康にしてみれば、天下を奪われないためにどうするか、ただそれだけしかなかったのではないか。そのために家康は人を集め、知恵を集めた。

「天下普請」の目的は、江戸を鉄壁のヨーロッパ型都市城塞にすることであった。その過程で、精神的にも財政的にも諸国の大名たちの抵抗する力をそぐことを考えていた。江戸に生活する庶民の住みよさ、暮らしやすさは二の次、三の次だった、と私は思う。

「天下普請」が始まって12年後、やっと豊臣家が滅亡して、家康は名実ともに「天下人」となり、江戸の都市城塞建設は、さらにピッチをあげる。今の御茶の水、当時の駿河台が切り開かれて、外濠の役割をする神田川の水路が隅田川まで延びた。

このとき、江戸城のある南側にだけ掘り出した土が盛られ、盛られなかった北側はその後、洪水にたびたび襲われている。これが都市計画事業といえるだろうか？

明治以降、地上には都市計画の考え方が入ってくるが、地下はずっと変わらず「天下人」の思惑と都合で「都市要塞」としての機能を高めていくことになる。その原点は、家康の

「天下普請」にある。そこには江戸、東京に暮らす人々の姿が見えない。

23 江戸の鬼門「寛永寺」と裏鬼門「目黒不動尊」を結ぶ地下道の謎

徳川家康の「陰のブレイン」で、家光まで3代の将軍に仕えた南光坊天海は、江戸の都市計画から日光東照宮の造営まで、さまざまなことに参画して幕府の思想的、宗教的な柱となっていた人物、といわれている。

１６１２（慶長17）年、家康は今の埼玉県川越市にある、かつて天海が住職をしていた寺を「喜多院」と改め、関東天台宗の総本山にして、天海を比叡山から呼び戻している。そして「関東天台宗法度」などをつくり、家康は寺社への支配を強めていく。

天海は、いわば幕府の寺社担当政務官をしていたのだが、「風水占い」に詳しく、江戸が風水的に地勢のよくないことを家康に提言している。家康はこれを受けて江戸城の鬼門にあたる、今の上野に「東叡山寛永寺」を建てている。

平安京以来、京都の鬼門を守ってきた比叡山延暦寺にならって、東の叡山ということで「東叡山」という名が寛永寺につけられたといわれている。そして、寛永寺とは１８０度の位置、裏鬼門には目黒不動尊が置かれた。

2つの鬼門を結ぶライン上に地下道?

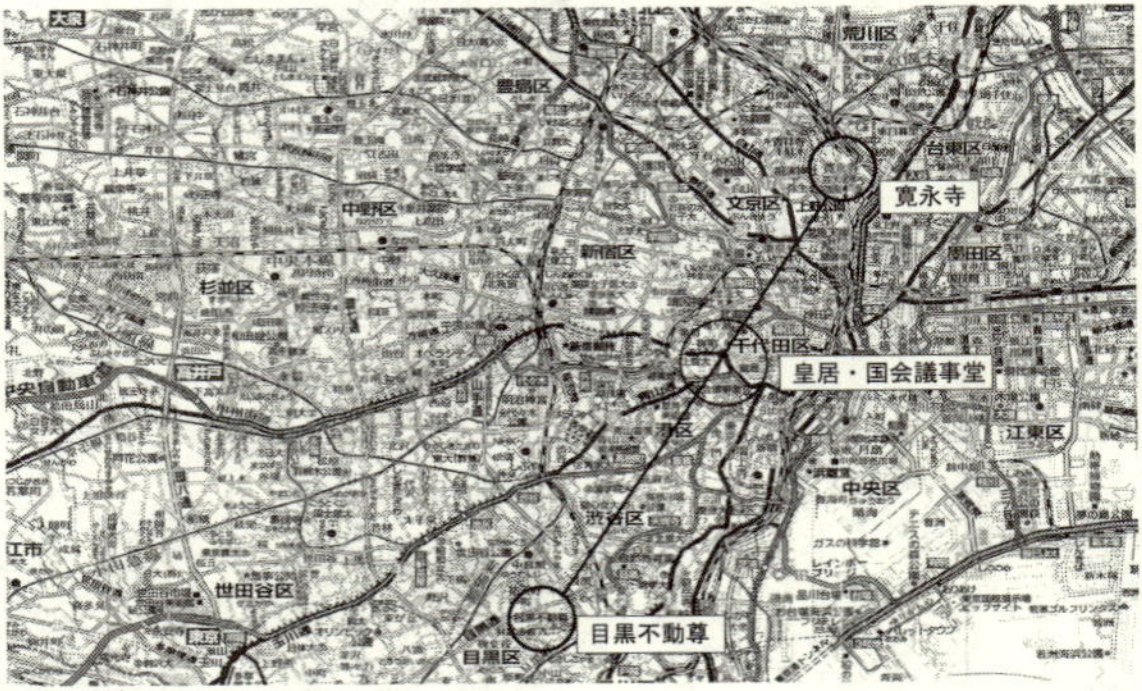

〔『エリアマップ』（昭文社）より〕

この2つの鬼門を直線で結んだラインは、江戸城の本丸を貫いている。そして、今の国会議事堂の中心を通っている、という。

国会議事堂といえば、後に詳述するが、地下の謎の宝庫。議事堂からは地下道が四方八方に延びているはずだ。

関東大震災後につくられた「東京近郊」という地図にある「議事堂から右上に伸びる地下道」が2つの鬼門を結ぶラインと見事に重なる。

その地下道は震災以前につくられたことがわかっているが、いつつくられたかはわかっていない。

私は、オランダ式築城術にならって建てられた江戸城には四方八方に延びる地下道が秘かにつくられていた、と考えている。

それを知る手立ては、後にも述べるが、地図に隠された暗号しかない。たとえば、当時、世界一といわれたオランダのキャノン砲の「K」。Kのある地名を結んだラインには、地下道があるとされている。寛永寺（KANEIZI）と江戸城本丸のラインには平河（HIRAKAWA）橋がある。

目黒（MEGURO）のMEも、地下道があった可能性を示す暗号のひとつだ。今、寛永寺のそばにも目黒不動尊の近くにも地下鉄が走っている。

24 「明暦の大火」で将軍が西の丸に移って、地下道が増えた？

今、皇居がある場所は江戸城の本丸ではない。本丸の南南西に建てられた西の丸だ。秀吉の命令で家康が江戸城に入ったころ、ここは丘陵で、春になれば桃、桜、ツツジなど花が咲き乱れる散策の地であり、田んぼもあったという。

「西の丸普請」が始まったのは、家康が江戸城に入ってから2年経った1592（天正20）年のことだ。江戸城と平川の河口を結ぶ道三堀を建設した家康は、まず西の丸の建設工事から江戸城建設を始めている。

翌年には西の丸は完成するが、家康が「江戸城大建設計画」を発表し、「天下普請」を始めるのは1603（慶長8）年、幕府を開いてからだ。「天下普請」で本丸御殿ができ、大規模な内濠沿いの石垣づくりが行なわれるが、その後、東北の大名を動員して西の丸は大々的にリフォームされている。

1616（元和2）年に家康が亡くなった後も、秀忠による本丸御殿の改修、天守閣の解体、新築、石垣を枡形にする工事など、江戸城の補修や改築が続けられている。外濠が完成し、1607（慶長12）年に天守閣に金の鯱が載って、40年以上にわたる江戸城建設がほぼ終了するのは1636（寛永13）年。

西の丸は当初、次の将軍になる世継ぎや引退した前の将軍の住まいに使っていたが、1657（明暦3）年の「明暦の大火」で江戸城が全焼。残ったのは西の丸だけだったことから、やむをえず将軍は西の丸に住まいを移した。

本来なら「仮住まい」で終わるはずだったが、2年後に再建された本丸は1663（寛文3）年に再び焼失し、その後、再建されなかった。

結果、西の丸は3度の焼失、4度の再建という波乱の歴史のなかで、ずっと将軍の住まいとして使われた。

たび重なる火事で、家康に進言した天海僧正の風水占いが的中したと考えられたのだろうか。その後の将軍たちは本丸を避けて西の丸を住まいとしたが、気になるのが地下道だ。

将軍の住まいではなかった家康のころから、いざというときに脱け出せる「抜け穴」＝地下道は、西の丸にもつくられていたはずだ。

だとすると、3度も地上の建物は失われているが、地下道はどうだったのだろうか？知りたいところだが、記録は残されていない。

私の仮説では、火事にも耐えられる地下道を西の丸を中心にしてつくり直したはずだ。だから、その後の将軍たちは西の丸から動かなかった、と思う。

25 江戸城から秘密の地下道はどの方向に延びていたのか？

左ページに江戸時代後期の地図がある。矢印の先のヤヨスカシは、ヤン・ヨーステンが住んでいたところだ。そこから左右に点線が延びていて、サクラダ門からお濠を渡り、内濠に沿って半蔵門から田安門に向かっている。しかし、点線の説明はない。

江戸城のところには葵の紋と「御城」という文字、そして西の丸がなぜか右にある。今の地図なら西の丸は左にある。この地図は北を上にして描かれていない。「一橋」や「松平」など文字の方向もバラバラだ。

だが、この地図には暗黙の了解というか約束事があり、わかる人が見れば、それがわか

ヤン・ヨーステンの住居と左右に延びる点線

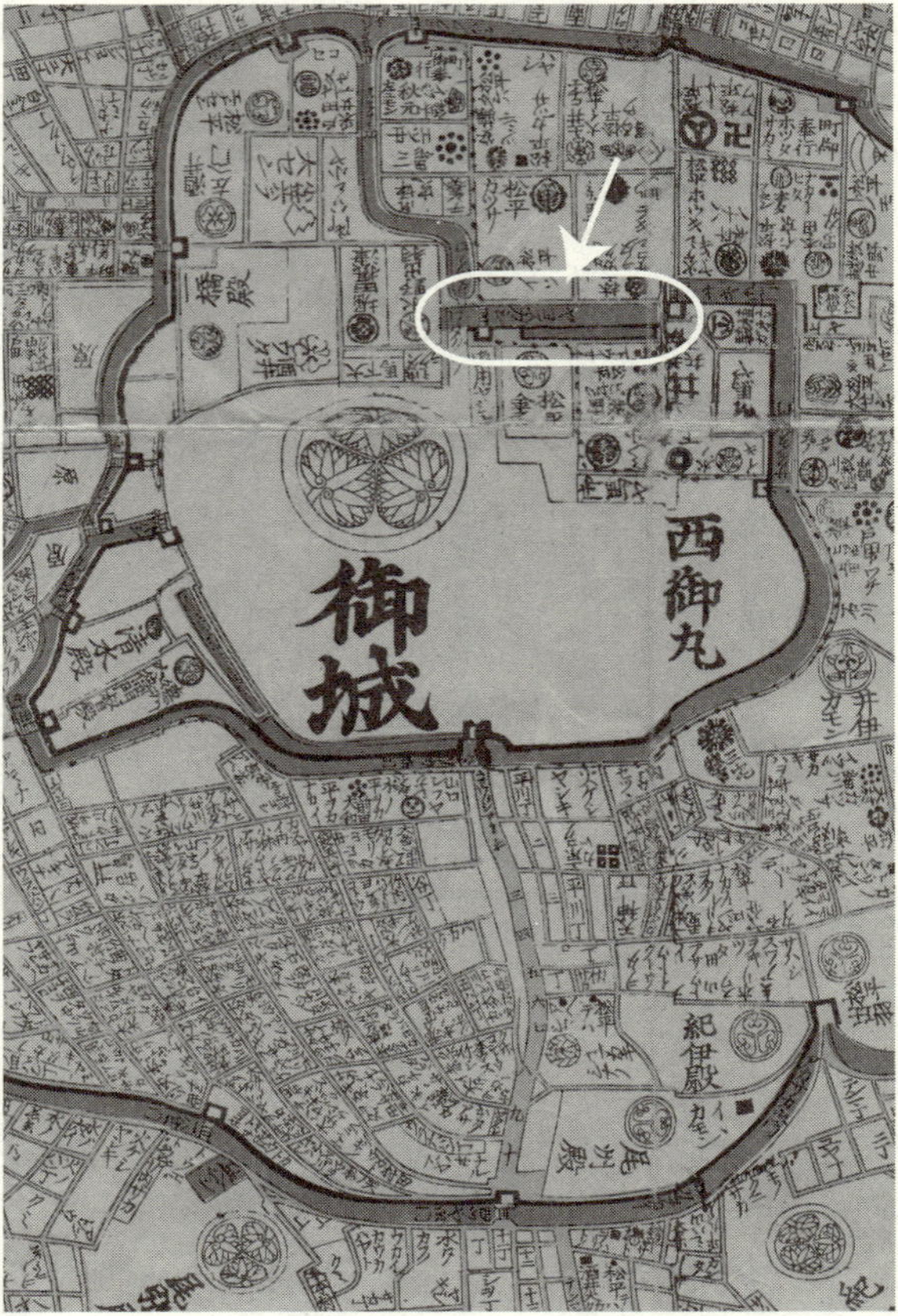

（『懐宝御江戸絵図』より）

るのだ。東京の地下を調べていると、こうした地図に、しばしば出会う。読み解かなければ前に進めないのだ。

私は、暗黙の了解＝暗号を読み解くことに集中した。そこから見えてきた、江戸の地下道のひとつが項目23で紹介したKのつく地名を結んだラインだ。

森鴎外の東京方眼図を見ると、吹上（HUKIAGE）御苑、中央気象台（KISYODAI）、近衛騎兵（KIHEI）大隊、錦（NISIKI）町、雉子（KIZI）町と、「K」のつく地名が直線のラインに並んでいる。

このラインを延ばすと、雉子町の先に「幻の地下鉄駅」がある万世橋があり、吹上御苑の先には弁慶濠がある。どちらも今は地下鉄が走っている。ここには、江戸時代に地下道があったはずだ。

万世橋近くの平永町、江戸城の平河橋、弁慶濠近くの平河町、「HIRA」のつく地名が直線に並んでいる。このラインも地下道があった可能性が高い。

後藤新平が大正時代に地下鉄を計画した「虎ノ門‐竹橋」は、竹平（TAKEHIRA）町と琴平（KOTOHIRA）町を結ぶ直線ラインにあり、あいだに外桜田（SOTOSAKURADA）町がある。

このRAのラインにも江戸時代に地下道があったと考えている。

26 暗号で読み解くと「江戸の地下道網」が浮かび上がる！

地名や建物の名前をローマ字表記にしてみると、暗号が実によく読み解ける。たとえばRIあるいはIRがある地点を結ぶ直線に45度で交差するラインを引く。この45度のライン上にMEまたはSEがある地名や建物の名前があれば、そこには地下道があるはずだ。今の日比谷線神谷町駅辺り、愛宕社のすぐ下に青松寺（SEISYOZI）があり、その下に正則（SEISOKU）中学がある。これを結ぶラインを南に延ばすと泉岳寺（SENGAKUZI）に達する。その先は品川で、今の都営浅草線のルートだ。

北に延ばすと平河（HIRAKAWA）橋から元平河町、平河町、赤坂離宮（RIKYU）のラインと45度で交差している。さらに北に延ばすと、万世（MANSEI）橋から上野へ、銀座線のルートにつながる。

たとえば、芝の区役所の西に水路部（SUIROBU）がある。その東の浜離宮（RIKYU）と、RI、BU、ROの直線をつくる。次に裏霞ヶ関の伊太利（ITARI）と水路部を直線で結ぶと2つの線の角度は108度。

浜離宮から歌舞伎座（KABUKIZA）を結ぶ直線も108度。正五角形の内角だ。水路部から伊太利、水路部から浜離宮、浜離宮から歌舞伎座は等距離にある。つまり4地点を結ぶ五角形がそこに描ける。五角形の辺には地下道があったはずだ。

歌舞伎座は日比谷線と都営浅草線が交差している東銀座にあり、伊太利は今の財務省付近で千代田線と日比谷線が交差している。水路部の東には都営三田線が走っていて、都営大江戸線とこの五角形の辺は2度交差している。

RI、BU、ROの直線は、もともと中世ヨーロッパの都市では地下道があることを示す暗号だが、詳しくは角川書店から刊行予定の私の著作をお読みいただきたい。

27 水路変更前の江戸の川床を現在の地下鉄が走るのは、なぜ?

1614（慶長19）年の「天下普請」は9月の大阪冬の陣まで行なわれ、豊臣秀吉子飼いの武将や秀吉に恩義のある大名を駆りだして、幕府に反抗する気力、財力を奪った。この年に行なわれたのが「江戸の水路の変更」だった。

埋め立てられた日比谷入江に沿って、西の丸下（今の皇居外苑）を囲むように外濠がつくられ、石垣が積み上げられた。日本橋川と汐留川はつながれ、外濠にリフォームされた。

今の飯田橋の東、小石川橋から昌平橋にかけて、本郷台地を2つに割るように新たな放水路（今の神田川）がつくられ、近くを流れる平川や小石川、当時の江戸湊に流れこんでいた石神井川は、隅田川につながった。いずれも最初は小さい水路を掘り、年数をかけて徐々に幅を広げ、濠なら江戸城側に石を積み重ね、川なら護岸工事をしてつくられた。

このような江戸の河川の変遷を知る手がかりとなるのは、今の地下鉄だといわれる。『江戸の都市計画』という著書で、鈴木理生氏は、江戸の川と今の地下鉄のルートを見比べて興味深いデータを紹介している。たとえば、銀座線の上野から神田までは、水路が変えられる前の石神井川左岸の土手の地下であり、神田から新橋までは当時の江戸前島の中央部。赤坂見附から渋谷までは台地の下なので、銀座線で川の下を走るのは、新橋から赤坂見附まで。外濠にリフォームされた汐留川の下だ。

丸ノ内線は、池袋から御茶ノ水までは本郷台地の下であり、御茶ノ水から銀座までは江戸前島の地下で、霞ヶ関から新宿方向は再び地盤の堅い台地の下を走っている。軟弱なのは銀座から霞ヶ関までの日比谷入江を埋め立てた約700メートルだけだ。

ところが、その後の地下鉄は、江戸の川の下を走ることが多くなる。千代田線の根津－湯島は当時の石神井川のど真ん中だし、大手町から日比谷までは江戸前島の海岸線に沿って走っている。日比谷線の入谷から秋葉原は谷筋にそって走っているそうだ。

都営三田線の千石から大手町は当時の小石川の真下だ。当時の平川を走るのが有楽町線の東池袋から市ヶ谷までと東西線の飯田橋から大手町まで。都営新宿線の新宿三丁目から市ヶ谷までは長延寺川の谷底を走っている。

このように、地下鉄が江戸時代の川の下を走っているのには理由がある。

玉川上水のつくられ方で紹介したように、江戸の初期には、川をせきとめて川幅いっぱいの木の枠を組み、土砂の壁で三方を囲んで地下道をつくるということが行なわれていた。そこに水を流せば上水になり、水を流さなければ地下道になった。

上水や地下道の上は盛り土をして道路として使われた。上水のルートも地下道のあることも公表されなかったから、道路の下に地下道があるなんて誰にもわからなかった。この道路が時を経て「公道」になり、公道の地下に地下鉄が走るようになったのだ。

地主がいない公道だから建設費も少なくすむ、それが地下鉄が公道の地下を走る理由なのか、地下道がすでにあるからなのか、その両方なのかわからないが、江戸の川の下の地下道は、誰かの手で地下鉄が走れるほどに大きく広げられた。

28 御茶の水の砲台地下と江戸城西の丸地下を結ぶ「抜け穴」の謎

今の御茶の水には砲台があったといわれている。幕末以降につくられた砲台はほとんど

千代田線と丸ノ内線の交差地点に砲台が…

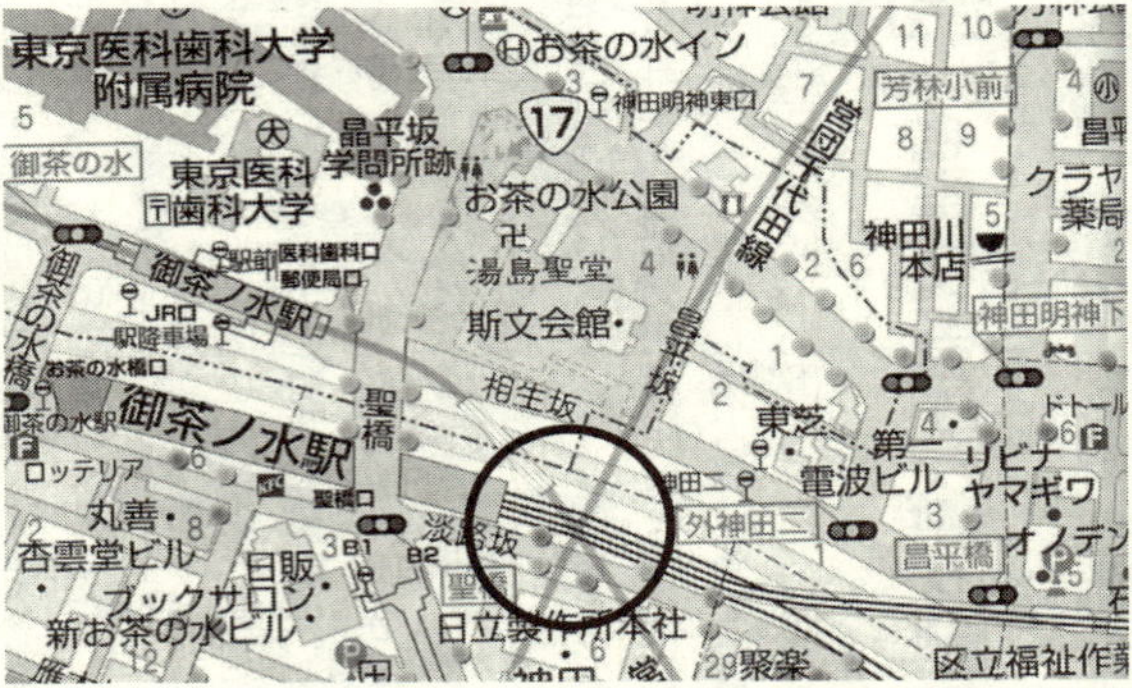

〔『大きな字の地図で東京歩こう』（人文社）より〕

が品川のような海に面した場所や、お台場のような海のなかの埋立地にある。

　御茶の水の砲台は、それよりはるか昔、江戸時代の初め、神田川が駿河台に掘られたときに設けられた。

　今、神田小川町の交差点からＪＲ御茶ノ水駅に向かう道は急な上り坂だ。神田川にかかる聖橋《ひじりばし》は山の頂上の感じで、神田川は深い谷の底を流れているように見える。丸ノ内線の電車が川の土手から出てくるのを見ると、その深さに想像がつく。

　橋がなければ本郷方向からとても渡れそうにない場所だ。ここに砲台があったと聞くと、誰もが納得する地形だ。本郷方向からの敵に向かって大砲を撃てば見晴らしがいいから砲弾は敵に命中するに違いない。

聖橋のすぐそばには現在、大きなビルが建っているが、砲台は、今丸ノ内線と千代田線が地下で交差している地点にあったらしい。しかし、なぜか大砲は外側、本郷方向に向いておらず、内側を向いていたという。内に入りこんだ敵を撃つ砲台だったようだ。

そのことを証明する、おもしろい小話が残されている。この砲台建設を担当した伊達政宗が2代将軍・秀忠と将棋を指していたときのこと。次の一手を考えながら政宗がぽつりとつぶやいた。「本郷から攻めようか?」と。

この言葉に秀忠は次の一手が指せなくなった。それは、軍事機密であり、大名たちには知られてはいけないことだった。

地下に目を向けると、この砲台と西の丸を直線で結ぶラインは、今千代田線が走っている小川町から御茶ノ水を結ぶルートに合致するが、ここには江戸城と砲台を結ぶ地下道があったはずだ。ふだんは大砲の弾薬を運ぶ道として使われていて、何か事が起きたときは、将軍を江戸城の外に脱出させる「抜け穴」のひとつだったに違いない。

29 大名屋敷や官庁が霞ヶ関に集まった最大の理由は「地下」にある!

「天下普請」で江戸という都市がつくられていたころ、霞ヶ関は「桜田」と呼ばれていた。

桜田門の「桜田」だ。当時の桜田は、日比谷入江を埋め立てたばかりで、誰の所有地でもなかった。

ここに最初に目をつけたのは、「天下普請」に駆り出された大名たちであった。彼らは自らが埋め立てた、この土地に屋敷をつくって江戸屋敷としたのだ。参勤交代が制度化され、全国の大名が江戸屋敷を持つようになると、埋立地はさらに広がり、今の新橋までが埋め立てられて大名屋敷になった、という。

そんな外様大名たちが薩摩、長州を中心に結束して、徳川幕府を倒して立ち上げたのが明治政府だ。明治政府は、大名屋敷をすべて接収して官庁のほか兵営や練兵場にも転用した、とされている。

しかし、軍事施設がしだいに都心から郊外に移され、永田町に国会議事堂が建つと、国の省庁のほとんどがここに集められることになった。

明治以降の政府が霞ヶ関に官庁を集めた最も大きな理由は地下にある、と私は考えている。南北線の遺跡調査団が江戸の武家屋敷の周辺から深くて幅広い溝を見つけ、武家屋敷に「抜け穴」と呼ばれた地下道がつくられていたことはPART1で紹介した。

霞ヶ関には、江戸時代から地上に出ることなく地下道を往来することができる地下網があった。そのうえ軟弱な地盤は地下道を掘るには人手もカネもかからない。明治以降に数多くの地下道が掘られたはずだ。今、地下鉄がここに集中している理由も同じだ。

30 ペリー来航で東京湾につくられた砲台と砲台を結ぶ地下道の謎

徳川幕府が生まれて約250年を経た日本に大きな衝撃を与えたのが「ペリー来航」だ。1853年6月3日、アメリカの東インド艦隊司令長官、マシュー・カルブレイス・ペリー率いる4艘の黒船が浦賀沖に現われた。

黒煙を上げながら近づいてきた戦艦ミシシッピー号が1700トン、戦艦サスケハナ号が3500トン、黒船の大きさもさることながら、大砲100門を装備した艦隊は当時の幕府を震え上がらせた。

ペリーは一度帰国して、翌1854年1月に戦艦7艘、大砲128門を搭載した艦隊を率いて再び日本にやってくるが、その間のたった半年で幕府はそれに備えなければならなかった。

しかし、当時の江戸では大砲に使う金属の調達さえままならない状況に加えて新たに砲台を建設する必要があった。

品川に砲台をつくるため岩石類は相模の国（今の神奈川県）と伊豆（今の静岡県）から舟で

運ばれ、土砂は近くの御殿山を切り崩して運ばれた。

そのため強制的に家が取り払われて道になり、東海道は土運び以外の人や荷車は昼間通行禁止となり、目黒川の水路も変更され、昼夜兼行の突貫工事が行なわれた、という。

しかし、ペリーが再来日したとき、砲台は完成しておらず、品川砲台と7つのお台場に据えられた大砲は32門、砲弾は2発しかなかった。

選りすぐりの藩士を大砲にはりつかせてペリーを迎えたが、大砲を撃った藩士はひとりもいなかった。

結局、大砲を使わずに幕府は開国を決定した。その翌月に完成した品川砲台と3つのお台場の建設費は76万3870両、弾薬その他の費用を加えると100万両近くといわれている。

まさに、当時の徳川幕府は全財産をはたいて江戸を守る砲台をつくったのだ。

そのせいではないが、それから10年ほどで幕府はぶっ潰れて明治政府に政権を譲り渡すことになる。しかし、1945年、アメリカ軍に戦艦による攻撃を避けさせた東京湾の巨大な砲台の基礎は、90年ほども前にすでにつくられていたのだ。

ここで忘れてはならないのは、砲台と砲台、砲台と弾薬庫をつなぐ地下道だ。砲台の建設と同時につくられたはずで、明治以降の地下要塞建設とつながっていくことになる。

PART4

明治新政府が進めた地下近代化の謎

31 フランスの築城理論を導入して、江戸の地下を近代化!

砲弾の射程距離がせいぜい数百メートルだった幕末から明治初期にかけては、海上の戦艦を砲撃しようとすれば、海岸の山の斜面に砲台をつくればよかった。

しかし、射程距離が5キロ、10キロ、20キロと延びると、山の裏側に砲台をつくることが可能になり、そのほうが戦艦からの攻撃をかわせることから、意外な場所に砲台がつくられるようになる。築城理論は大砲の射程距離の延長とともに変化していく。

1871(明治4)年、明治政府は上原勇作陸軍工兵大尉をフランス、ベルギーに派遣し、フランスの新しい築城理論を学ばせている。上原大尉は帰国後、東京湾に猿島、小原台、花立の3つの砲台を設計し、留学の成果を帝都防衛に役立てている。そして、お台場には156門の大砲が据えられた。

明治政府が導入したフランスの築城理論は、17世紀の後半にボーバンという将軍が確立したものだ。江戸城建設のモデルとなったオランダの城と違って、「水の壁」でなく「土の壁」で囲まれた城がつくられた。

「土の壁」といっても、地面に垂直に壁を立てるのではなく、地面の一方を高さ数メートルほど持ち上げる。いわば「地面の壁」で城を囲むのだ。壁の裏側には深い塹壕を掘って、そこに半地下道をつくり、人はここを移動する。

要塞全体の形はバリエーションがあるが、中心にはオランダの城と同じような五角形が多用されていたり、正多角形の頂点の位置に砲台を設け、敵に十字砲火を浴びせるという考え方には変わりがない。この築城理論は、大規模な都市要塞ばかりでなく小さな山間部の要塞にも及んでおり、その両方を混合したものにも利用できるのがメリットだ。

たとえば、外周に大規模な地下砲台を配置しておいて、それより小さい内周に地下弾薬庫をつくり、敵が攻めてきたときに弾薬を砲台に運ぶというシステムにすれば、各砲台に弾薬を分散配置しているよりも弾薬輸送の時間が短縮できるのだ。

明治政府が導入した、フランスの築城理論を発展させた先に、まえがきに紹介した中村順平の「地下東京計画」がある。オランダの築城術で生まれた「江戸の地下道」は、フランスの築城理論で「東京の地下道」へと近代化していくことになる。

32 「市区改正」の裏側で、地下要塞計画が進められた!

1889(明治22)年、宮城(今の皇居)に新宮殿が落成した。この年、東京では「市区改正」と呼ばれる都市計画がスタートしている。それは江戸をヨーロッパのロンドンやパリのような近代都市・東京に変えようという計画であった。

この事業には陸・海軍はもとより、各省庁の代表、政治家や東京府の知事、渋沢栄一などの財界人も参加して、初年度から東京府の年間予算を超える膨大な予算が組まれた。その財源には国家からの多額の補助金と東京府民にかけられた新しい税金が投入された。しかし、5年経っても6年経っても、10年経っても東京は、何ひとつ変わらなかった。東京都都市整備局が発表している『東京の都市計画の変遷』には、「市区改正」について次のように書かれている。

東京の都市計画は、明治21年に公布された「市区改正条例」と、それに基づき明治22年に告示された「市区改正設計」に始まる。

この市区改正設計による計画は、区部(旧15区の範囲)の区域を対象としたもので、その内容は道路、河川、橋梁、鉄道、公園、市場、火葬場、墓地からなり、明治23年に上水道の計画が追加された。

財源難もあって、市区改正事業が大幅に遅れるなかで、最低限の項目を選ぶ形で明治36年に「市区改正新設計」が告示された。

つまり、「市区改正」は財源難で大幅に計画の実施が遅れ、最初の計画の告示から15年

「市区改正」道路計画案

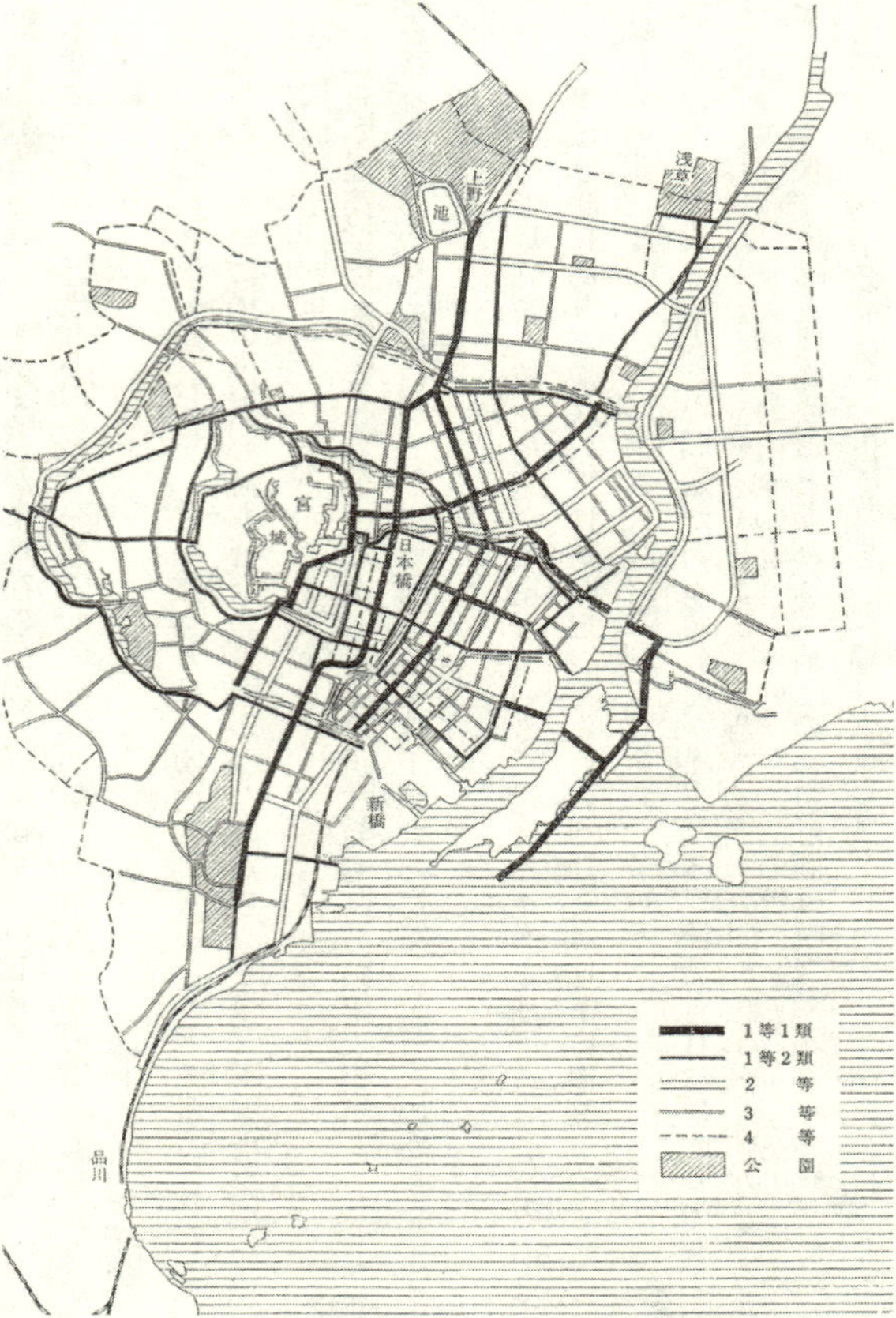

（『近代日本建築学発達史』より）

後に計画が見直された、というのが東京都の公式見解になっている。

日本建築学会編『近代日本建築学発達史』でも「10年経っても1本の道路も敷かなかった」とされている。

しかし、当時の資料を読むと、「財源難」とは裏腹の「湯水のごとく予算が使われた」形跡があった。本当に10年以上も何も行なわれなかったのだろうか？　大きな疑問を抱いた私は、資料を探し歩いた。

ここに日本建築学会が、戦後に公開した「市区改正」の道路計画第二案がある。ごく普通の道路計画にしか見えないが、この地図に「1等1類」の道路として海のなかを走る道路が描かれている。

それは当時の佃島砲台と越中島砲台を結んでいる。砲台と砲台を地下道でつなぐのはフランスの築城理論にあり、海底の下に道路をつくるということは地下に道路をつくることを意味している。そして、今、都営大江戸線がここを走っている。

ただ、地下道建設には大きな問題がある。当時、イギリスで開発されたばかりのシールド機を使わなければ、それはできない計画なのだ。これだけでも多額の予算が必要になる。ましてや江戸の地下網を近代化するとなれば、地上の都市計画は吹き飛んでしまう。

もしかして、明治政府は、「市区改正」という大きなアドバルーンで国民の目をくらまして、その裏側で秘かに地下の要塞計画を実施していたのではないだろうか？　計画から15年も経って計画を見直し、最低限必要な事業だけ実施しても、私はだまされない。

33 東京の地下は要塞地帯法と軍機保護法で国民から隠された！

１８８７（明治20）年に、初めて東京の精密な地図『東京五千分の一』が完成している。その翌年には、各省庁にあった地図室が廃止され、すべての地図は陸軍の管轄下に置かれることになり、その次の年に「市区改正設計」が告示された。

東京の地上と地下の情報を手中にした陸軍が、それを利用しない理由は何もない。「帝都防衛」を担う陸軍は、フランスの築城理論に基づいて砲台を建設し、砲台と砲台、弾薬庫をつなぐ地下道網の整備という大きな責務を担っていたはずだ。

完成した精密な地図に地下要塞計画図を描き、「市区改正」事業の裏側で、厖大な予算を湯水のごとく使って陸軍は、地下要塞建設を進めていたに違いない。

しかし、軍事機密を公にすることはできないから、１８９９（明治32）年、明治政府は要塞地帯法と軍機保護法を同時に施行して国民に目隠しをしたのだ。東京の地下を見ていると、そんな歴史の裏側が透けて見える。

当時の文部省があった場所に今は東西線竹橋駅があり、駅のあるビルはなぜか地下7階まである。海軍省があった場所には今、日比谷線霞ヶ関駅があり、霞ヶ関には地下鉄が3路線も走っている。大蔵省と内務省のあった大手町には今、地下鉄の路線が5路線も集中している。いずれもそうしなければならない合理的な根拠はない。

考えられるのは、かつてここに地下拠点があったから、という理由だけだ。官庁の地下なら「軍事機密」の地下網建設工事をしていても、国民の目にも耳にも入ることはない。陸軍による地下要塞建設は、官庁の地下から始まったと、私は考えている。

34 明治以降の要塞建設は、地下に砲台や地下道をつくった！

かつて陸軍築城本部の要塞建設を監督する立場にあった浄法寺朝美氏（元陸軍大佐）は、著書『日本築城史』のなかで、明治以降、陸軍が行なった要塞建設について次のように書いている。

「近代築城は主建築物は地下とし、鉄筋コンクリートづくりだ。砲座は、露天のものは偽装迷彩し、砲塔砲台は厚い鋼のアーマープレートで覆われ、隠顕砲台といって、平時は穿井に隠れ、射撃時地面上に現れ、射撃が終われば、再び穿井に隠れるというものもあった。

弾薬庫、観測所、電灯所（探照灯の発電所、掩灯所、照明座などをまとめて電灯所という）も、地下鉄筋コンクリート造りで、敵眼から発見されないような掩蔽法が講ぜられ、術工物は極力小型として分散配置し、砲爆撃による被害の局限を図った。主要構築物は、砲撃弾の直撃に耐える耐弾構造物だ」

浄法寺氏は、江戸時代の城づくりと区別して明治以降の要塞建設を「近代築城」と呼んでいる。「近代築城」は、より低い位置につくるのがポイントだ。砲台は主に地下につくられるようになり、弾薬庫も地下につくられた。敵の砲撃や爆弾投下による被害を最小限にするため、砲台も弾薬庫も1カ所に集中させず分散配置された、という。

砲台や弾薬庫が置かれた場所は地下道で結ばれ、その地下道は通常1キロ前後、長いところでは2キロを超えた。そして地下砲台の周囲8キロは1899（明治32）年7月14日から「要塞地帯法」が適用された。

同法によって要塞の防備状況は国の最高機密とされ、公表されなくなった。要塞内での測量、撮影、地表の高低を変える土木工事、土地利用の変更、道路や鉄道の建設など、要塞内のあらゆることに陸軍大臣や要塞司令官の許可が必要とされた。

東京の市街地だけでなく、東京湾全体がすっぽり「要塞地帯法」の対象になって。東京の地下は陸軍が管理するところになり、国民の目から隠されることになったのだ。

35 明治陸軍の弾薬庫が隠された「坂下通り」地下の謎

「10年経っても1本の道路も敷かなかった」とされている「市区改正」事業で、1本だけつくられた道路があった。それは「坂下通り」といい、池袋、大塚、護国寺を結ぶ道路だ。今の坂下通りは、護国寺の東からサンシャインまでをつないでいる。

当時の計画図を見ると、護国寺の東から北に向かい、その後、北西にカーブして「Ж」のマークのところで行きどまりになっている。「Ж」はロシア語で監獄を意味する暗号で、今サンシャインがある場所には当時、巣鴨監獄があった。間違いなく坂下通りだ。

1909（明治42）年に陸軍が作成した地図を見ると、坂下通り入口の少し南に陸軍の弾薬庫があり、坂下通りは周囲に比べて道幅の広い立派な道路で、とても監獄に向かう道とは思えない。何か機密が地下に隠されていそうだ。

坂下通り入口から入ってすぐのところに、吹上稲荷がある。吹上稲荷は名前からわかるように、かつては江戸城内の吹上にあった。坂下通りが完成したときに、ここに移されたといわれており、神社には葵の紋も見られる。当時、この辺りは畑だった。

なぜ、明治天皇がいた宮城から吹上稲荷がここに移ったのか、わかっていないが、この

坂下通り入り口

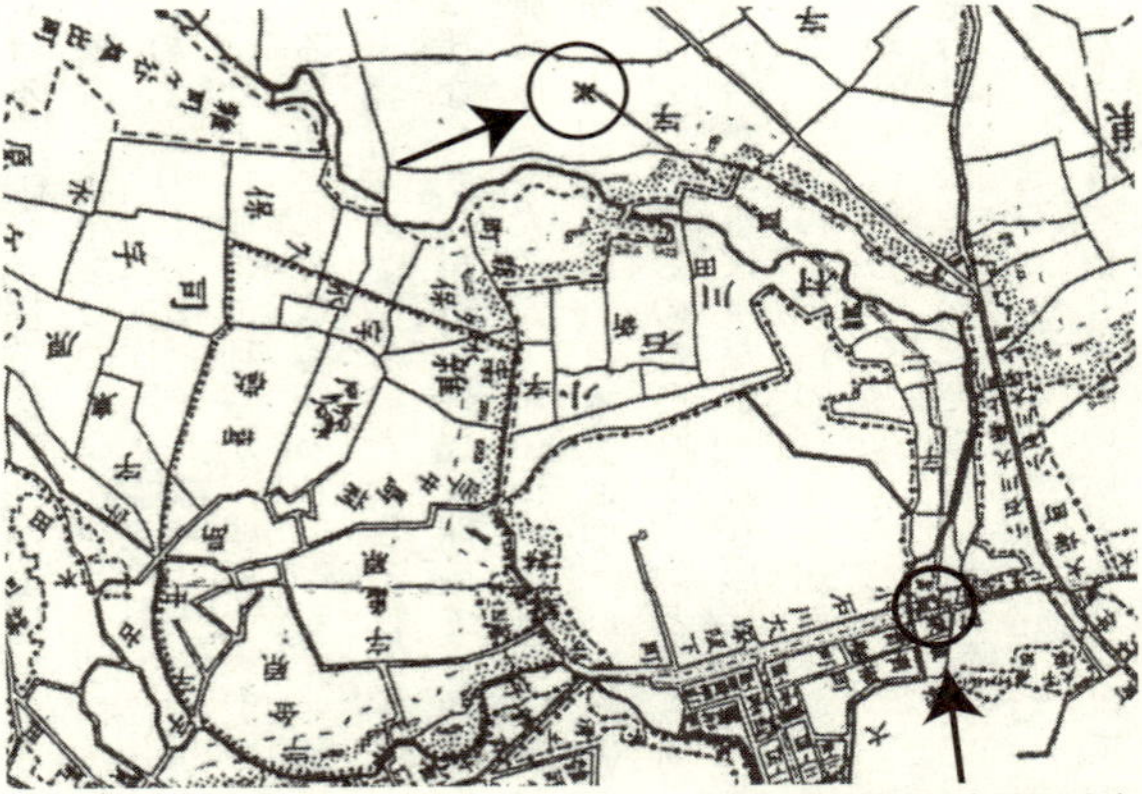

（『東京市区改正全図』より）

現在の場所

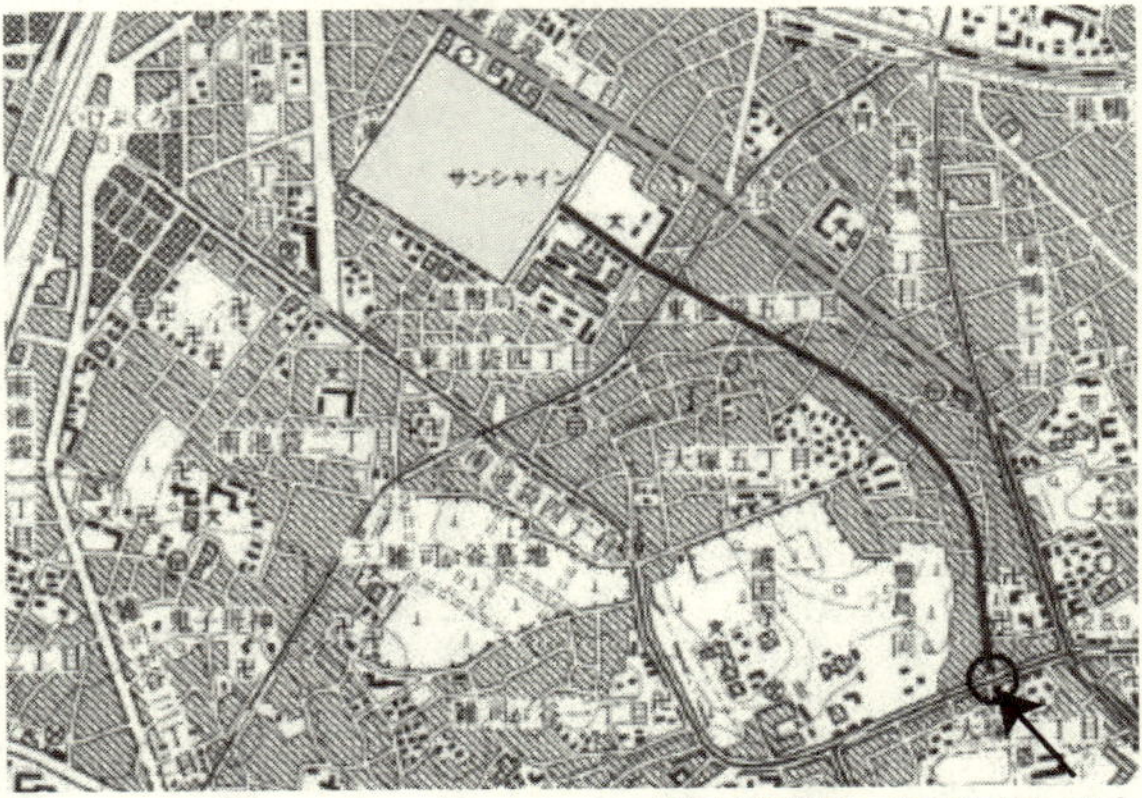

（「国土地理院・東京西部」より）

辺りは不思議な「都市伝説」が山ほどあるところ。将来、住宅地にするために移設して安全と繁栄を願ったのではないかと、思われる。

このあたりに住宅が建ちはじめて住宅地に変わったのは大正時代になってからだが、その後は吹上稲荷のご利益か、関東大震災や東京大空襲の惨禍を免れて、今でも戦前の町並の残る場所として広く知られている。

吹上稲荷から少し歩いたところに、赤レンガの建物がある。この建物が何なのか、持ち主は誰なのか、付近の住民に聞いても知る人はいなかった。それもそのはず、これは明治の弾薬庫だったのだ。軍事機密は国民に知らされたことがない。

浄法寺朝美氏の『日本築城史』の説明から弾薬庫とわかったのだが、「そうだとすれば砲台はどこにあるのだろうか?」という新たな疑問がわいた。本当なら５００メートル以内に砲台があるはずだが、影も形もない。当時から、砲台を隠すための偽装が巧みに施されていて、誰にも砲台の存在を知られることはなかったといわれており、１００年近く経った現在では望むべくもない。

砲台は黒松や赤松などの常緑樹を植えて隠し、地下への入口は土砂を上に盛って隠されていた。ときには、その上に家を建てたりもしたそうで、大砲が回転すると上の家屋も回転したという、信じがたい伝説も残されている。

弾薬庫があれば、弾薬庫から砲台に弾薬を運ぶ地下道がつくられていたはずだ。だから、坂下通りは道幅が周りの道より広くつくられていたのだ。

36 開運坂から講道館まで秘密地下道で通った柔道家の謎

坂下通りの交番（派出所）のところで左折すると、そこは「開運坂」だ。ここに初めて行ったとき、私は貴重な体験をしている。

「坂名の由来についてはよくわからないが、運を開く吉兆を意味する、めでたい名をつけたのだろう」と書かれた立札に、私は「ずいぶんいい加減だな」と思い、「この坂をつくったのは陸軍だろうから、由来も軍事機密だったのだろう」と解釈していたときだ。

「何かお調べですか？」と、女性から声をかけられた。その女性は、この辺りの歴史に詳しくて、儒学者の木下順庵が住んでいたとか、柔道の創始者、嘉納治五郎先生の屋敷も近くにあったことを教えられた。

そして「そのころ、このあたりにヒマラヤ杉が植えられていて、杉林が先生のお宅を取り囲んでいました」と、彼女はいった。杉林は砲台を隠していたのだな、と私は思った。するとと今度は「先生は杉林から地下に入って講道館まで通っておられました」といった。

驚いた私は「地下道があったのですか?」と聞き返した。講道館は後楽園にあり、3キロ以上ある地下道を、先生は歩いて通っていたことになる。後楽園の地下には、「市区改正」のころ陸軍の弾薬庫があったはずだから、ここに砲台があった、と私は考える。

当時、大砲の射程距離が延びて、ここからでも東京湾の外国船を撃ち払えたはずだ。その女性は砲台の下にある地下道にも入った経験があり、その地下道がなんと自宅につながっていることを知ったというのだった。

このように、われわれの知らない地下道が東京にはたくさんある。「市区改正」のときにつくられた開運坂の地下道も、そのひとつにすぎないのだ。

37 丸の内の陸軍跡地を一括購入した三菱と地下要塞計画の謎

1890(明治23)年、丸の内の陸軍跡地が払い下げられ、三菱が一括購入した。このとき三菱が手にした土地は丸の内だけではなく、今の有楽町から日比谷、数寄屋橋辺り、水道橋から神保町にかけての三崎町も含まれていた。三菱は、陸軍の兵舎を取り壊して丸の内一帯を更地にした。「市区改正」事業で道路ができれば、すぐにでもビルを建てる予定にしていたが、道路は敷かれず丸の内は草ぼうぼうの野原と化してしまう。

1890年代前半の丸ノ内界隈

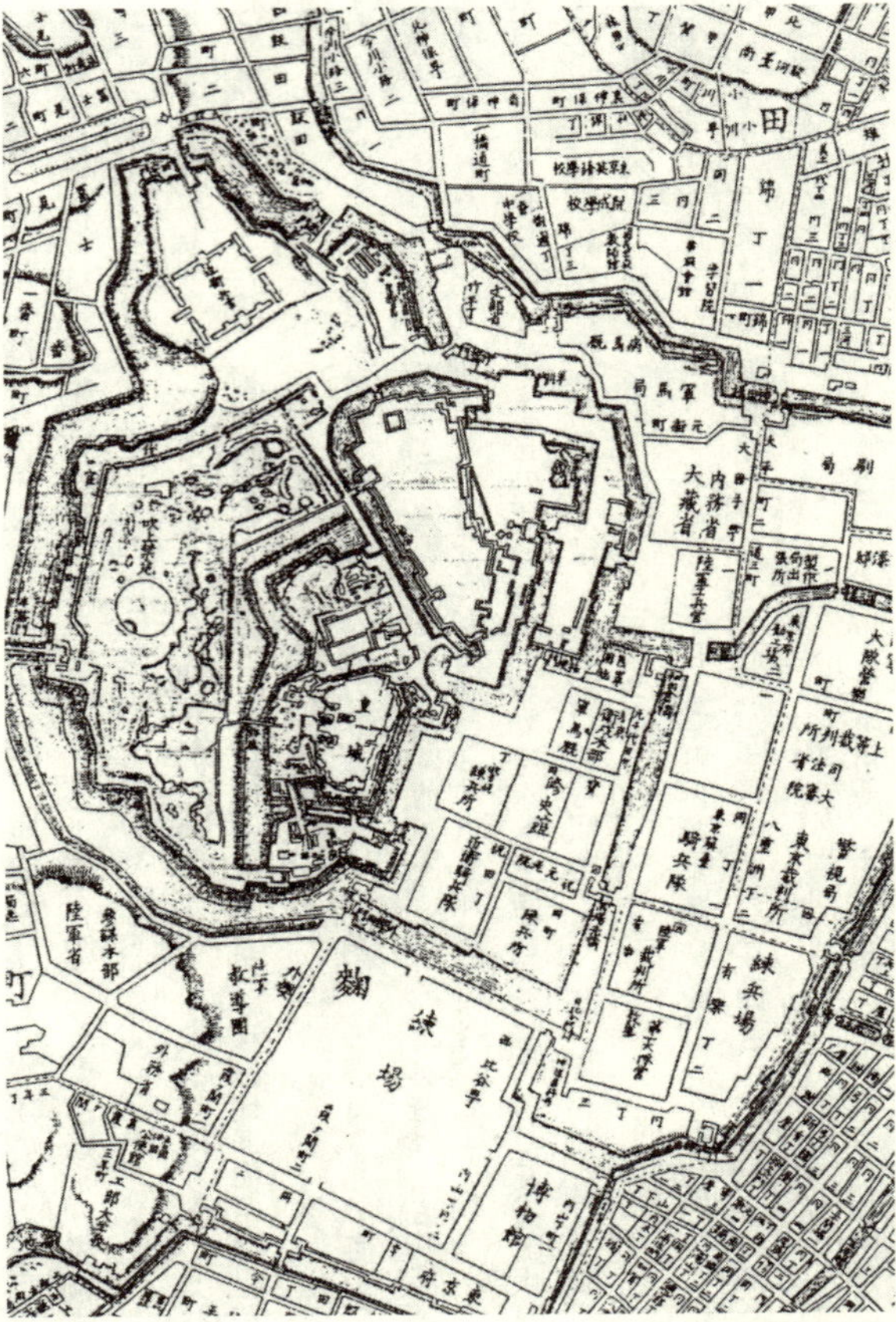

（『東京実測図』より）

一方、三菱の土地だった、今のJR有楽町駅の近くに東京府庁が1894(明治27)年に建ち、その3年後には東海道本線を東京駅まで延長する工事が始まった。道路より先に線路の敷設が始まったわけだ。ここにも「市区改正」事業の奇妙さが見える。

今のJR有楽町駅が完成したのは1910(明治43)年のことだ。JR有楽町駅といえば、1972年に開通した地下横須賀線がかすめるように横切っている。私は地下横須賀線が開通したとき、「駅ができる前からここには地下道があったのだ」と気づいた。

JRの駅は、まさにコンクリートの塊だ。その下にトンネルをつくるとなると、何かで駅を支えながら工事しなければならない。駅の重量に耐えられるトンネルをつくるのも容易ではない。したがって、地下に鉄道を走らせるときは駅を避けて線路の下にする。

東京の地下を走る地下鉄でJRの駅の下を走っている電車はきわめて稀で、五反田駅の下を走る都営浅草線だけだ。新宿駅も渋谷駅も池袋駅も駅舎を避けている。だから、駅の下を電車が走れるのは、トンネルが駅より先につくられたからだ。

地下横須賀線が走っているトンネルは、JR有楽町駅が完成する前につくられたことになる。つまり、市区改正の裏側で東京の地下道網が陸軍によって整備されていたころにできたのかもしれないのだ。そういえば、三菱が丸の内以外で取得した、今の有楽町から日比谷、数寄屋橋辺りには丸ノ内線と日比谷線、有楽町線、千代田線、水道橋から神保町にかけての三崎町には都営三田線、いずれも地下鉄が走っている。

そこには、当時、地下拠点がつくられていた可能性がある。大蔵大臣からの要請を受けて陸軍の跡地の払い下げに応じた三菱が、陸軍が進めていた地下要塞計画に協力するため、その他の土地を買ったとしても不思議なことではない。

道路が敷かれず荒れ放題の丸の内に世間が眉をひそめているときに「竹でも植えて虎でも買うさ」といったのは、当時、三菱の当主だった岩崎弥之助だ。そこには三菱の確かな読みと自信がうかがえる。

38 「洞道」は現存する地下道で最も古い地下道か

東京には、今、数多くの「洞道」という地下道がある。「洞」は洞窟、空洞、鍾乳洞のように自然に生まれた大きなトンネル、穴を意味するが、「洞道」は高さ2メートルくらい、人が歩ける地下道だ。地表に近いところにあるのが特徴といえる。

千代田線霞ヶ関駅の断面図を見ると、かつて海軍の防空壕があったところの上に「〒洞道」という文字がある。郵便物を運ぶために使われる「郵便洞道」だ。NTTも「洞道」を持っていて、電話などの通信ケーブルを敷設している。

そのほか、池袋のサンシャインシティのように冷暖房施設でつくられた冷気や暖気を周辺のビルなどに供給する「洞道」が新宿の高層ビル街にもある。皇居前広場と日比谷公園の周辺にもかなりの数の「洞道」があり、地下鉄の断面図で見ることができる。「洞道」が地下鉄と交差したり接触したりするケースは少なくない。たとえば、丸ノ内線は、大手町で2度ほど通信の洞道の下を、東京駅の手前でも郵便洞道の下を走っている。そんなときは、地下鉄工事とともに、洞道の補強工事が行なわれている。洞道が沈まないように下から支える工事をしているのだ。

この「洞道」がいつつくられたのか、どこをどういうルートで張り巡らされているのか、詳しい情報は公表されていない。それはまるで江戸の「上水」に似ている。もしかして江戸の地下道が時を経て「洞道」となったのだろうか？

今、存在がわかっている「洞道」から推測すると、丸ノ内線がつくられるより前、海軍の防空壕がつくられるより前、サンシャインシティの「洞道」(項目39参照)のように、明治時代に陸軍がつくった地下道が「洞道」となった可能性も少なくないはずだ。

トンネルの規模から考えても、せいぜい人や弾薬を移動させるための地下道だから、古い江戸の地下道＝「抜け穴」でも用が足りる。地上の道路と無関係に延びていて、敵に悟られず攻撃を受けにくいのは「抜け穴」には最高だ。

ルートがわからないのは軍事機密として隠されたせいだろうが、地表に近いところにあるので空爆を受ければひとたまりもない。軍事目的につくられた地下道で、しかも歩行用となると、東京の地上に都電が走っていなかったころまでさかのぼらなければならないことになる。「洞道」は現存する地下道のなかで最も古い地下道かもしれない。

39 東池袋の「洞道」は明治の「市区改正」のころにつくられた？

東京拘置所跡地（今のサンシャインシティ）の再開発で最大のネックとされたのが、人を集めるための「足」だった。池袋駅から空中シャトルで結ぶというプランまであったというから、よほど悩んだのだろう。

私は東池袋中央公園の角をかすめる丸ノ内線に新駅をつくれば簡単に解決すると考えていたから、なぜ駅がつくられなかったのか、不思議だった。

2つめの謎は、建築の専門書に「サンシャインシティの冷暖房施設は、周囲の公共機関に供給している」と書かれているのに、受けているのは豊島区役所だけだということ。サンシャインシティから区役所まで「洞道」を通して供給されているそうだが、このトンネルをつくるには10億円を下らない工事費がかかる。そんな必要性がどこにあるのか？

東池袋地図（1957年）

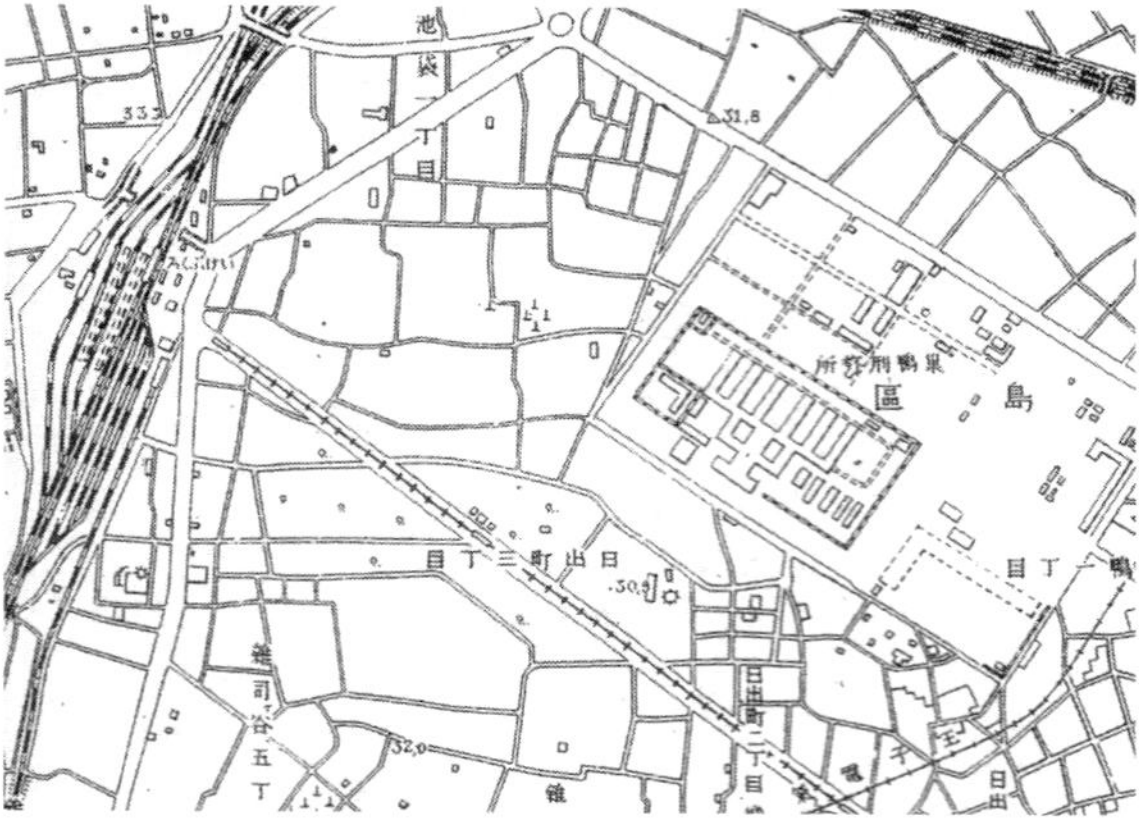

現在の東池袋地図

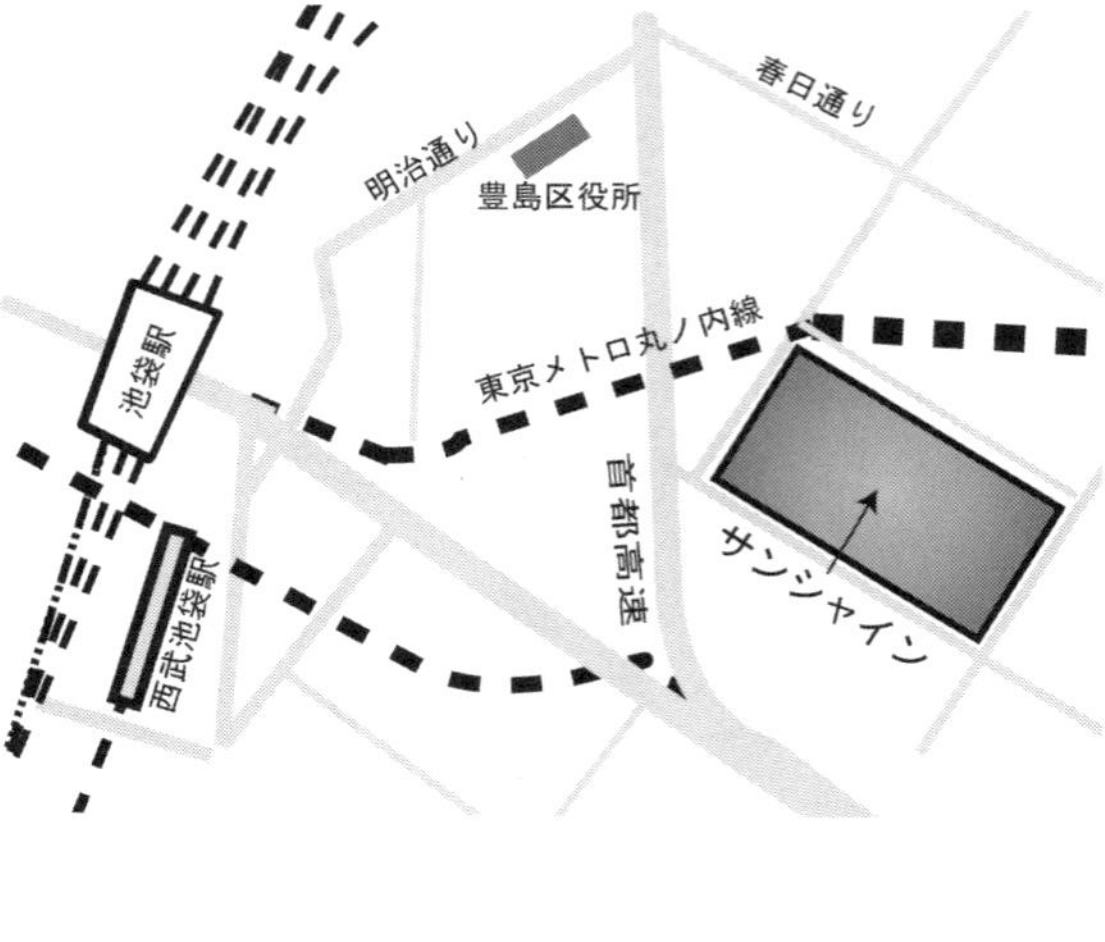

この2つの謎を解く鍵は、東京拘置所にある。戦前ここは「巣鴨監獄」といったが、東京拘置所と豊島区役所はどちらも公共機関だから地下道で結ばれていた可能性が高い。

また、かつて火薬工場があった板橋から豊島区役所、東京拘置所、開運坂、後楽園の砲兵工廠《しょう》をつなぐ地下道が、「市区改正」事業の裏で陸軍によってつくられた可能性もある。

しかし、東京拘置所が戦後、小菅に移されてこの地下道は無用になってしまっていた。サンシャインをつくるときにこれを補強して「洞道」にしたのに違いない。

ただ、丸ノ内線は、この洞道の下を通っていて、洞道を丸ノ内線が支える形になっている。だから、私が考えていたようにはいかなかった――のである。

40 「帝都防衛・砲台地図」で、秘密のヴェールに隠れた砲台を発見！

「改正　東京全図」という地図がある。この地図は「市区改正」のころにつくられたから「改正」という文字が入っているのか、「東京全図」の改正版なのか、定かではないが、不思議なのは、MAP　OF　TOKYOのFの字が裏返しになっていることだ。

この地図にはラインが書きこまれている。右上から左下に引かれているのが経度のラインだろうか？　それと90度に交差しているのが緯度のラインだろうか？　その方眼の対角

改正東京全図 その2 品川

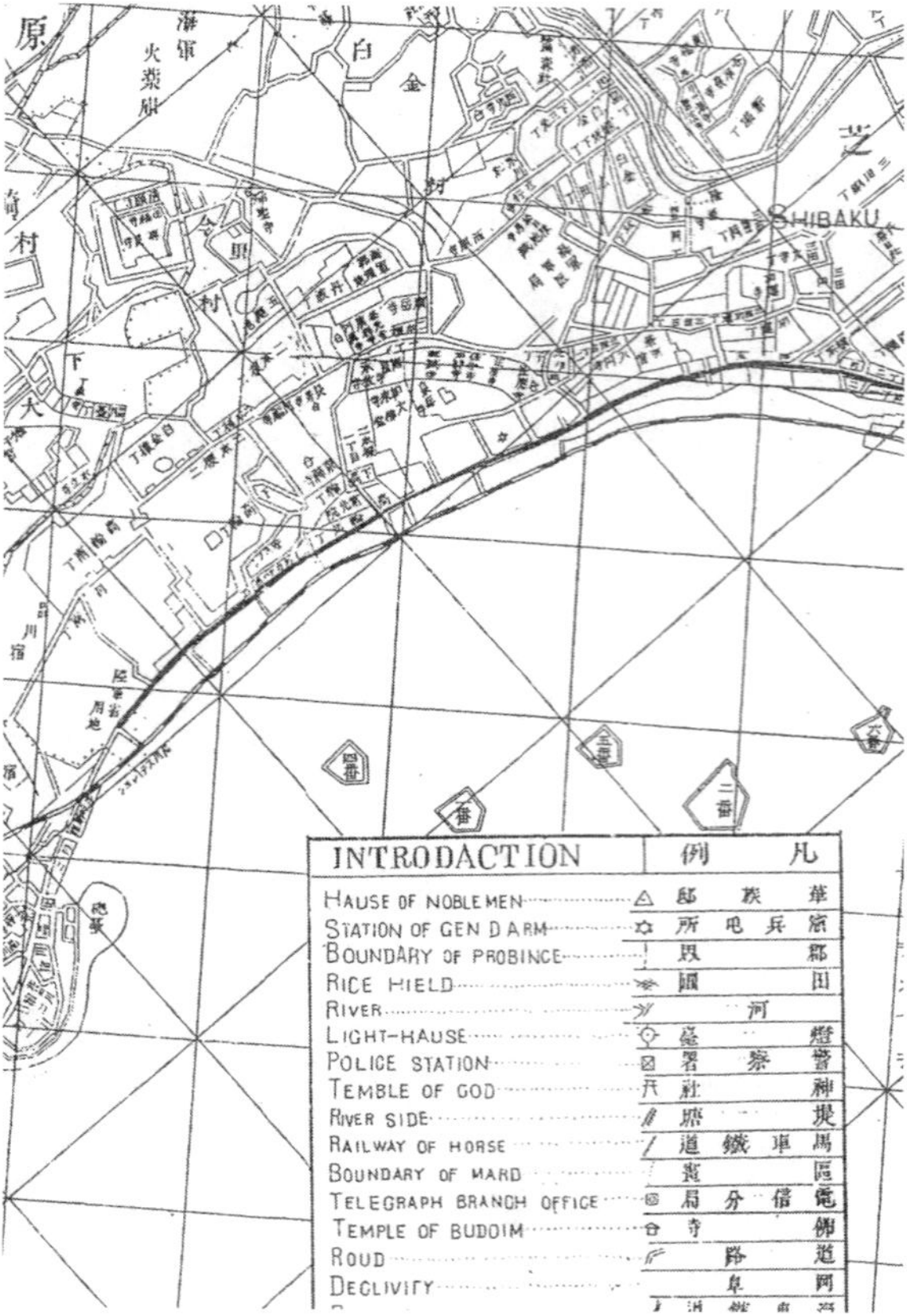

MAP OF TOKYO
(『改正 東京全図』より)

線を引いたようなラインが左下がり、右下がり交互に引かれて別の大きな方眼になってい
る。これは普通の地図ではない。

こういう地図を見ると、私は好奇心をそそられる。

調べてみると、この2種類の方眼は東京湾を守る砲台から発射される大砲の火線であっ
て、緯度経度のラインではなかった。こうした方眼を「砲台方眼」というそうだ。よく見
ると、方眼の角度は正確にいえば90度ではないし、縦横のラインの交差点と対角線のライ
ンの交差点は必ずしも一致していない。

これは、目標である相手の大砲に十字砲火をあびせるとき、多少のズレは問題ではなか
ったらしく、縦横のラインも6度以内のズレは許された。重要なのは、縦横、斜めの3本
のラインが交わるところに大砲があることだった。

大砲の射程距離が延びたこの時代、砲台は海に面していなくてもいい。たとえば第一台
場からまっすぐ北、白金村の「村」の字の近くの交点、ここに砲台があり、地下拠点があ
った可能性がある。今、都営三田線の芝公園駅と三田駅があるところだ。

今、地下鉄の駅がある場所、2つの地下鉄路線が交差するところ、不自然に広い地下駐
車場などが、この地図のラインの交点か、次の項で説明する暗号の文字の場所に一致して
いれば、そこに砲台があり、地下拠点があったはずだ。これを知ったとき、私は言葉を失

い、ゾクゾクッとするほどの驚きを感じた。

この地図は、「帝都防衛・砲台地図」といってもいい地図だと、私は高く評価している。

41 明治時代の地図の暗号を解読すれば「東京の地下」が透けて見える！

明治時代になって、政府がフランスの築城理論を学んで、東京湾を守る強固な要塞づくりを始め、「市区改正」の裏側で地下要塞建設を行なったとき、地下網の出入口を示す暗号づくりも並行して行なわれたはずだ。

想定していた敵は、西欧先進国だったから、敵を欺く暗号は漢字ということになる。誰もがわかる暗号では意味がないから、関係者だけがわかる暗号が考え出された。たとえば、「市区改正」の道路計画図には、誤った位置に「日本橋」という地名が書かれている。「間違えるわけがない間違い」は、関係者ならすぐにピンとくる。しかし、一般の国民は間違いに気づいても、地下があるなんて知らないから、それが地下の地図とは思わない。これこそベストの暗号なのだ。

ここからは私の仮説だが、陸軍省や海軍省は「省」、陸軍測量部や参謀本部は「部」、警視庁なら「庁」、郵便局なら「局」、市役所なら「所」、学校なら「校」というような単純明快な暗号がつくられた。これなら人名や会社名に使われることがない。あとは地下ルートの方向や地下の深さなどをどう表現するかを考えて決めればいいのだ。たとえば、「改正　東京全図」では、EMPERIAL　PALACEの文字が傾いていたり、宮城の「宮」という字の右下、お堀の上で4本のラインが合わなくなっていたりしている。これは、越中島砲台と隠れ砲台の後楽園砲台の何かを表わしているように、私には見える。「城」という字の少し上の点線の辺りには、太平洋戦争直前、大本営会議室という巨大な防空壕があった。司法省から12時半の方向に大蔵省、文部省が一直線上にあり、10時の方向には別の司法省、海軍省、外務省がやはり一直線上にある。

これがどういう意味かの考察は難しいが、こうした地図の改描で陸軍は地下の何かを示していたに違いない。

半蔵門の「門」がなかったり、東京府庁の「庁」の字がなかったりしたのも、誤植や書き違いでなく、陸軍によって意図的になされたものだと考えられる。

42 100年前の「大博覧会用地下道」が地下鉄大江戸線に活用された!?

1911（明治44）年、24年ぶりに東京の精密地図がつくられている。もちろん陸軍測量部が作成したものだが、なぜか一般には『逓信地図』と呼ばれていた。というのも、東京逓信管理局が発行したことになっていたからだ。

なぜ、陸軍が地図を作成していることを隠さなければならないのか、不思議だ。この地図に軍事機密が描かれているのだろうか？　もしかして地下道建設計画が地図に暗号で示されているのだろうか？

東京市南多摩郡千駄ヶ谷（今の渋谷区千駄ヶ谷）の地図を見ると、「大博覧会」と書かれた場所から西に点線が延びている。「大博覧会」のための道路が計画されていたのだろうか？　そう考えて調べてみると、そこに道路は建設されていないことがわかった。

ならば、点線は何を表わしているのだろうか？　私は、今、このルートを都営大江戸線が走っていることを思い出した。古い地下道の補強、リフォームという「昭和の宿題」を果たした大江戸線が走っていることからして、この点線は地下道に違いない。

京橋区の地図には、郵便局を示す〒マークが、なぜか道路の上にあったり、電話を示すマークが道路のど真ん中にあったり、地図の常識を逸脱する不思議な表記が多い。こうしたものを見ると、どうしても私には何かの暗号に見えてしまう。

四谷区の地図の備考欄に「郵便集配線路」という言葉が書かれている。これは文字どおり「郵便物の集配ルート」なのだろうか？　そんなルートを描いた地図を見たことがない。

これは地下道のルートではないだろうか？

調べてみると、ポストから集められた郵便物が地元郵便局から中央郵便局、宛先の都道府県の中央郵便局、地元の郵便局というふうに、郵便物が運ばれていくルートは、今でも「郵便線路」と呼ばれている。

ここにある「郵便集配線路」も文字どおりに考えてよさそうだ。しかし、国家機密に関わる郵便物は、どのように集配されたのだろうか？「郵便集配線路」に地下線路はなかったのだろうか？きっとあったはずだ。

地図ではないが、当時の資料のなかに松田道之・東京府知事が「市区改正」について説明しているくだりがある。そこに「ガスの線路」という言葉が出てくる。これは、ガスの配管ルートなのだろうか？

調べてみると、日本で都市ガスが、ガス灯のほかに炊事や暖房に使われるようになるのは1900（明治33）年ごろ。「市区改正」事業で都市ガスの配管ルートの敷設が行なわれたとしても、なんら不思議ではない。

しかし、水道管も「ガスの線路」も地上でなく地下に敷設されただろうから、東京の地下は、この時期、軍事目的以外に新たな展開を見せたことになる。

PART5 地下鉄建設の黎明期に秘められた謎

43 1903(明治36)年、「極秘の地下鉄」が日比谷を走った!?

上野公園の地下を走る京成電鉄を起こし、小田急、京王帝都電鉄を起こし、新橋駅をめぐる早川徳次と五島慶太の騒動では調停役を頼まれるなど、東京の鉄道の歴史にしばしば登場する利光鶴松は、1903(明治36)年、極秘に地下鉄線路を日比谷公園－数寄屋橋に敷いている。市区改正委員会の地下鉄建設計画より17年も前のことだ。

利光は若いころ、弁護士から代議士を目指して板垣退助率いる立憲自由党に入党している。自由党は第1回の衆議院議員選挙で130議席を獲得して最大会派となった。

しかし、明治天皇が首相に任命したのは選挙に出てもいなかった松方正義。自由党は政権を握るどころか政府による弾圧を受けることになる。このとき、自由党を動かしていたのは星亨で、利光は星の右腕だった。

彼は「天下を掌握するには、農民の人望を得るほか、宮中の御信任と実業家の信用を得るを必要とすることに気づいた」と自伝に書いている。

そこで2人は、新興の地主たちと組んで会社を設立し、馬車鉄道、石油鉄道、圧搾空気鉄道、路面電車と、さまざまな鉄道の認可申請をしている。

一方、板垣退助を明治政府のドン山県有朋が務めていた内務大臣にすることに成功。初めて自由党は宮中に入ることを許された。

中世ヨーロッパには、王宮と王族の邸宅、教会が地下道で結ばれ、市内の隅々まで地下道で行ける町があった。地下道は有事の脱出ルートとしてだけでなく、王族の行動の自由を広げるのにも役立っていた。

100年前のアメリカのボストンには、政府や州の要人、軍や警察が利用する極秘地下鉄網が敷かれていたという。これを知った星と利光は、宮中の信任を得る方法として、天皇家と皇族だけが利用する極秘の地下鉄を考えていたのではないだろうか？

伊藤博文が辞職して、板垣と第2党の党首だった大隈重信に明治天皇から連立政権の命が下った。しかし、星は板垣と決別して党を解散し新たに憲政党を起こし、その後、東京市街鉄道を起こして鉄道の認可申請をしている。

結果、認可されたのは日比谷公園－数寄屋橋と日比谷公園－神田橋の2つのルートであった。どちらも距離は短かったが、当時は、認可を受けたルートに路面電車を走らせようと地下鉄を走らせようと申請した者の自由だった。2つの鉄道を走らせることもできた。私は、東京で初めて地下鉄の線路が敷かれたのは、1903年開通の日比谷公園－数寄屋橋だ、としたいと思う。

44 ドイツ軍の首都空襲が東京に地下鉄を促した！

1914（大正3）年、ドイツ軍が行なったロンドン、パリの空爆は、それまでの大砲による戦争から爆撃機による戦争へと、戦争の形態を大きく変えた。

ロンドン空襲は114回、パリ空襲は33回。空襲による死者は1861人、負傷者は4083人を数えた。爆撃機が大砲よりはるかに優れた武器であることは、改めて説明する必要がないだろう。破壊力、殺傷力は比較にならない。

それを目のあたりにしたヨーロッパでは、第一次世界大戦が終わるころ、爆撃機が文字どおり爆発的な増え方をしている。

ドイツ軍は大戦前の10倍以上の2400機に、ドイツ軍の空襲を受けたイギリスは110機から30倍の3300機に、フランスは140機から30倍以上の4500機に、いずれも悔しさを晴らすかのように空軍を増強している。

もうひとつ、ドイツ軍の空爆がもたらした変化といえば、弾薬庫をさらに地下深くに移動させただけでなく、ヨーロッパ各国の首都の地下を一変させたことだ。

遠く離れた日本では、未だ敵の戦艦からの砲撃に備えた防衛体制しかなかった。もし空爆を受ければ東京は、ひとたまりもなかった。

「市区改正」のころから陸軍が膨大な予算を使って秘かに築いてきた東京の地下要塞や地下道網は、その価値を半減させられたのだ、新たな対応を迫られることになった政府は、1920(大正9)年、市区改正委員会に地下鉄建設を発表させた。

品川－押上、新宿－桜田門、池袋－越中島など7路線に及ぶ「大地下鉄建設計画」で、それは、ヨーロッパ先進国に追いつき追い越そうと努めてきた明治政府の「強い意志」が表われたものか、と思わせた。

だが、「市区改正」と同じように、10年経っても1本の地下鉄路線も敷設されなかった。

45 80年以上前、世界を驚かせた3層構造の地下鉄駅プランとは？

20世紀屈指の建築家といわれるフランス人、コルビュジエは、1922(大正11)年、「現代都市」といわれる都市計画プランの『輝くパリ』という作品を発表して、その名を世界に知られることになる。

『輝くパリ』という作品の中心となるものは、フランスの首都パリのエッフェル塔でもなく、凱旋門でもなかった。地上2階、地下3階の地下鉄の駅だったのだ。

ル・コルビュジエのスケッチ『輝くパリ』

（『ル・コルビュジエ全作品集』第１巻より）

それも並の地下鉄駅ではなかった。地下は3層構造になっていて、地下1階には既存のパリ市内を走る地下鉄のホームがあり、地下2階には市内と郊外を結ぶ地下鉄のホームがつくられ、地下3階には「新幹線地下鉄」とでもいうべき、遠距離を走る鉄道のホームをつくる、というものだった。

今の東京なら、地下1階には丸ノ内線、地下2階には都営新宿線、地下3階には中央新幹線が走る駅が、近未来に新宿にできる可能性があるが、これは80年以上も前の話だ。パリ市民は一様に言葉を失い、茫然自失に陥ったと伝えられている。

当時のパリには多数の地下要塞があり、それを地下道で結んでいたが、いずれも国民には知らされておらず、まぎれこんだら出口が

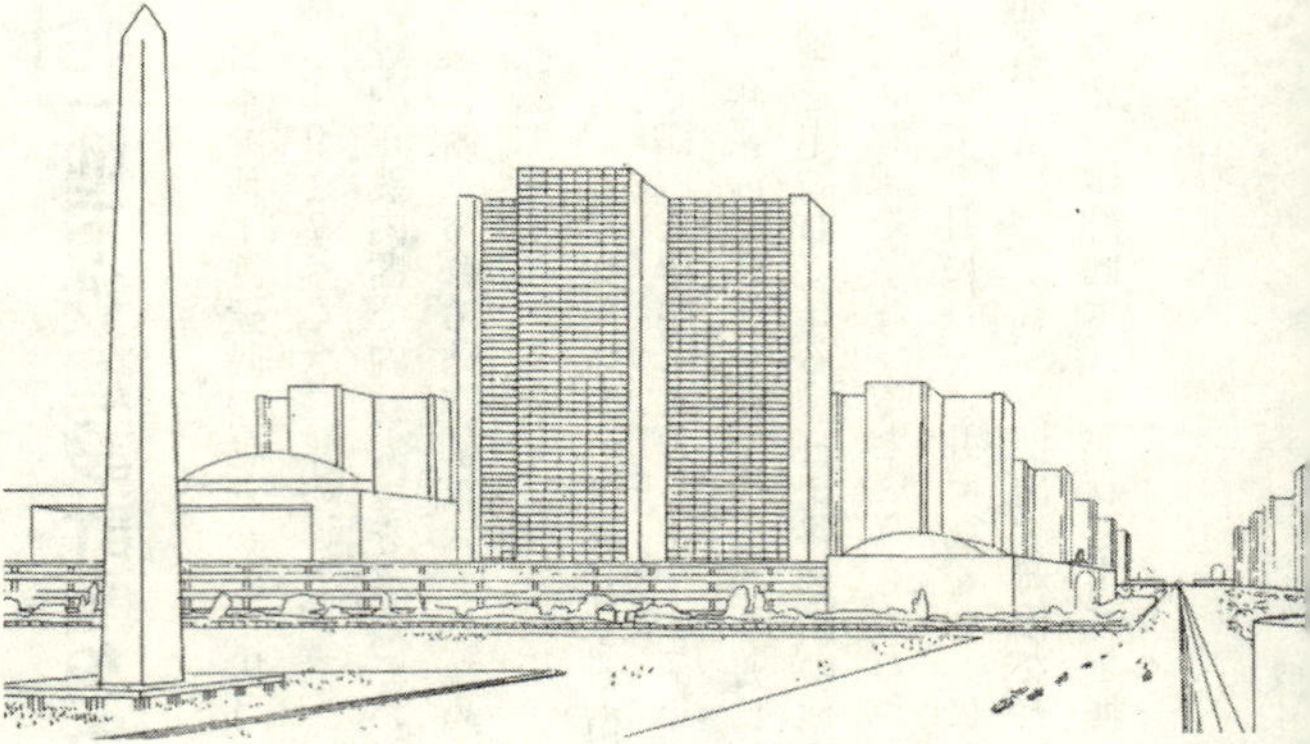

わからず、出てこられないといわれていた。コルビュジエは、そんな地下網を地下3階に描いていたわけだから、パリ市民の戸惑いは想像以上だったろう。

日本では、コルビュジエの名は知っていても、『輝くパリ』にある地下鉄駅のプランを知る人は少ない。というのも、この作品は日本語に訳されていないのだ。

不思議なのは、地下鉄駅プランに触れていない『都市計画の方法』という作品が、なぜか日本では『輝くパリ』という題名で出版されている。題名がすり替えられた理由はわからない。

コルビュジエのプランが東京で実行されたら地下の国家機密が白日の下に晒されるのではないか？　と、誰かが恐れたのだろうか。

46 地下鉄建設計画をめぐる私鉄と東京市の暗闘の謎

日本で地下鉄建設の動きが公に出はじめたのは、政府の建設計画が発表されるより3年前、1917（大正6）年のことだ。

寺内正毅内閣で内務大臣を務めていた後藤新平が内務省に都市計画課を創設し、東京を空爆に耐えられる防空都市にするための対策の検討を、新たに立ち上げた東京市内外交通委員会に命じている。

一方、「地下鉄の父」といわれる早川徳次の東京地下軽便鉄道が品川－浅草、上野－南千住の2路線を申請したのも1917年だ。

2年後の1919（大正8）年1月には、今の小田急電鉄、当時の東京高速鉄道が地下鉄計画を申請している。日比谷公園の地下にターミナルを建設し、渋谷、新宿、池袋、上野へ、4路線を敷設するというものだった。

次いで2月には、三井財閥を中心にしたグループの東京鉄道が神田須田町を拠点にして、池袋、新宿、渋谷、五反田、新橋など山手線の11の駅を地下鉄で結ぶ計画を申請している。

この2つの計画は、いずれも市電を地下に走らせる計画であった。

これに五島慶太を常務に迎えて、目黒―有楽町間に地下鉄建設を申請していた、今の東急、当時の武蔵電鉄を加えた4社は、「まんじ巴と入り乱れて狂奔し、混乱状態を呈するにいたった」(『東京地下鉄道丸ノ内線建設史』より)といわれている。

そんななかの6月、内務省の東京市内外交通委員会が、1年にわたって研究したという「高速鉄道建設計画」を発表した。

高架と地下を併用した鉄道計画で、地下鉄は、浅草―新橋、目黒―白金―新橋、大塚―白山―御徒町―新橋、渋谷―溜池―四谷、竹橋―飯田橋―早稲田―落合の5路線が計画されていた。

国の方針が絶対だった当時、この計画の発表で私鉄4社はガックリ肩を落とした、と伝えられている。

それに追い打ちをかけたのが7月の東京市の決定だった。東京市議会は小田急と三井財閥グループの申請の不許可を決定。9月には市電を地下に走らせる7路線の計画を発表したのだ。東急の申請もその年の年末に不許可としている。

ところが、1920(大正9)年3月、内務省は一転して私鉄4社の申請を認可し、東京市の申請を却下したのだ。当時、地方自治体は内務省の傘下にあり、市議会の決定が覆されても東京市は如何《いかん》ともできなかった。

同じ内務省の東京市内外交通委員会の計画は、わずか9カ月で闇に葬られてしまった。なぜ、そうなったかの謎を解くには、米騒動による政変を見逃すわけにいかない。

米騒動で寺内内閣が総辞職して、後藤新平も内務大臣の職を辞したのだ。そのため後藤が指示してまとめられた東京市内外交通委員会が発表した地下鉄計画も、なかったことになってしまった。

47 薩長支配を終わらせた平民宰相・原敬の地下鉄計画とは？

寺内にかわって首相に就任した原敬は、国民による選挙で選ばれた議員から初めて首相になった人物として知られているが、後藤新平とは鉄道の線路の広軌化をめぐって、いわば「政敵」の間柄であった。

後藤が広軌と決めたものを次の政権で原が狭軌に戻し、次の政権では後藤が再び広軌と決めると、次の政権で原が覆したのだ。ここでも原は後藤の計画をひっくり返して私鉄4社に地下鉄の認可を与えた。

そのうえ、地下鉄建設の申請をしていた私鉄4社のうちのひとつ、小田急の利光鶴松は、原が総裁を務める立憲政友会の重鎮だった人物であり、三井財閥は政友会のスポンサーだ

原敬内閣が認めた地下鉄路線「認可図」

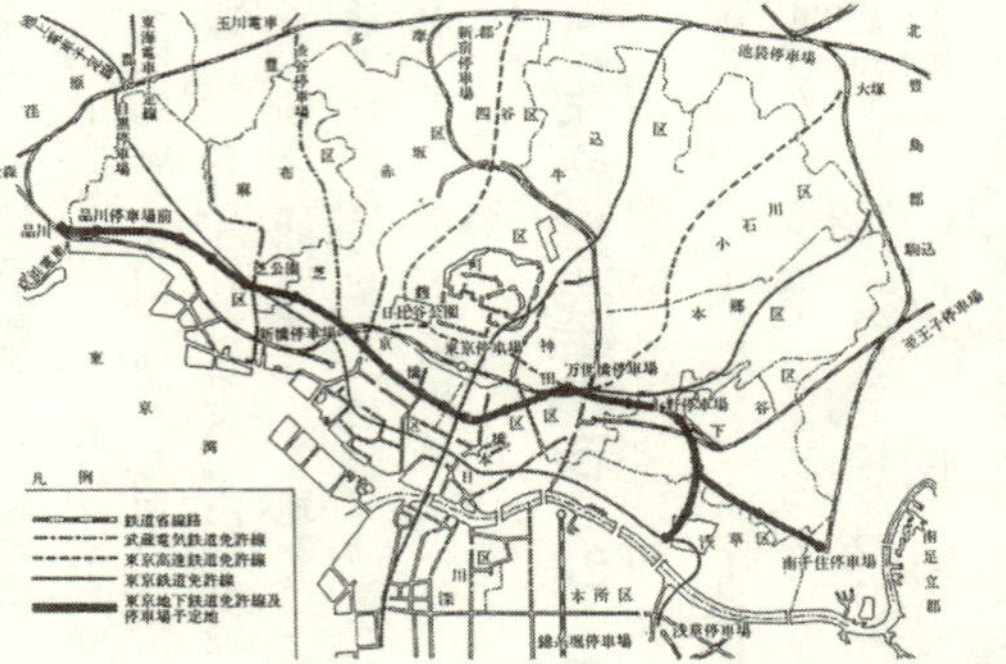

（『東京地下鉄道史』より）

った。

東急の五島は、原内閣の内務大臣が「経営者を招きたい」という東急の要請に応えて、鉄道院から送りこんだ人材だ。

後藤の息のかかった東京市内外交通委員会が小田急、三井の計画路線とは随所で交差する計画を発表していたが、原敬はそれを黙殺して、政友会を支持する小田急、三井に認可を与えた。

さらに、三井財閥とは宿敵の三菱財閥が支援する立憲同志会、中正会の大隈重信が牛耳る東京市議会の決定も覆したのだ。内務省の決定がすべてであった当時、東京市議会はなすすべがなかった。

こうして１９２０（大正９）年に原敬内閣が認可した地下鉄は７路線。

日比谷公園から新宿までの路線と日比谷公園から大塚までの路線を小田急に、新橋から浅草までの路線と目黒から三田を経て日比谷までの路線、巣鴨から白山までの路線を三井グループに、渋谷から新橋までの路線を五島に、品川から浅草までの路線と上野から南千住までの路線を早川に認可した。早川以外は、申請とは違った路線を与えられている。

原敬は、私鉄4社に東京市内外交通委員会の計画にあったルートを分配することで、以前から「強度に問題あり」と地下道と地下鉄の交差を認めていなかった内務省の方針を貫き、地下鉄を走らせたい私鉄には認可を与えて彼らの利益を確保したのだ。

だが、1921(大正10)年、原敬は暗殺され、この地下鉄計画は実施されなかった。

48 地下鉄建設申請ラッシュの裏に「軍管理の地下道払い下げ」あり!?

後藤新平が内務大臣として地下鉄建設の検討を始めたことがきっかけとなったように、私鉄4社が次々と地下鉄建設の認可を申請。それまで時の統治者の手中にあった東京の地下が初めてビジネスの対象になったのは、画期的なことであった。

しかし、シールド工法で地下にトンネルを掘ることが可能になったとはいえ、鉄道建設は始まったばかり。路面電車も走りはじめたばかりの時代に、地下鉄を建設するには莫大な資金が必要であったことは誰にも想像がつく。

1923（大正12）年に東京市長になった、後藤新平が発表した虎ノ門－竹橋間の地下鉄建設計画の予算が700万円（現在の貨幣価値で約83億円）以上といわれている。路線によっては1000万円以上もかかった、と想像される。

そんなコストのかかる事業に、鉄道事業者としては未成熟の、当時の私鉄各社が、どうして争って乗り出そうとしたのか？　ロンドンやパリでの地下鉄の発展、コルビュジエが示した未来都市像などから将来性を感じたこともあっただろう。

しかし、私にはもうひとつ、決定的な要因があったと考えられる。それは、明治政府による既存の地下道、地下トンネルの払い下げ、民間放出があったのではないだろうか？

大砲の射程距離が伸びて地下道、地下網の改良を余儀なくされて、明治政府が「市区改正」事業の裏側で秘かに江戸の地下道の近代化を行なったことは、すでに述べたとおりだ。

その努力を水の泡にしたのが、第一次世界大戦での爆撃機による空爆であった。

大砲による攻撃を想定してつくられた既存の地下道や地下拠点は、大改造するか廃棄するかの選択を陸軍は迫られることになったに違いない。とくに「洞道」になったような浅いところにある地下道は使えなくなった。

コルビュジエの地下駅にもあるように、ロンドンでもパリでも市内を走る地下鉄は最も浅いところを走っている。地上からのアクセスがよく利用しやすい、トンネル工事のコストも人手も少なくてすむなど、地下鉄には地表に近いトンネルが適している。

不要になる浅いところの地下道やトンネル、地下拠点を地下鉄に利用できないか。内務大臣だった後藤新平は東京市内外交通委員会に検討させたのではないだろうか。地下のデータは軍事機密で、陸軍にしかなかったから、どの地下道、トンネルを払い下げるか、決めるのは陸軍にしかできない。陸軍が出してきたデータを基礎に地下鉄のルートを決める重要な任務を任されたのが「東京市内外交通委員会」であったに違いない。

だから、原敬も同委員会の計画にあるルートを私鉄4社に分配したのではないだろうか。私鉄4社にも既存の地下道やトンネルが払い下げられ、そこに線路を敷き、駅をつくれば電車を走らせることができることを知らせてあったのではないだろうか？

49 利光送電図の謎——海軍省の中庭に地下鉄ターミナル！

東京市内外交通委員会の計画にある、新宿から四谷までが高架で、四谷から溜池までが地下という「新宿・葵線」は、新宿で西武鉄道と連絡することになっていた。というのも西武鉄道の創業者・堤康次郎と後藤新平が懇意だったことから、といわれている。

「利光送電図」

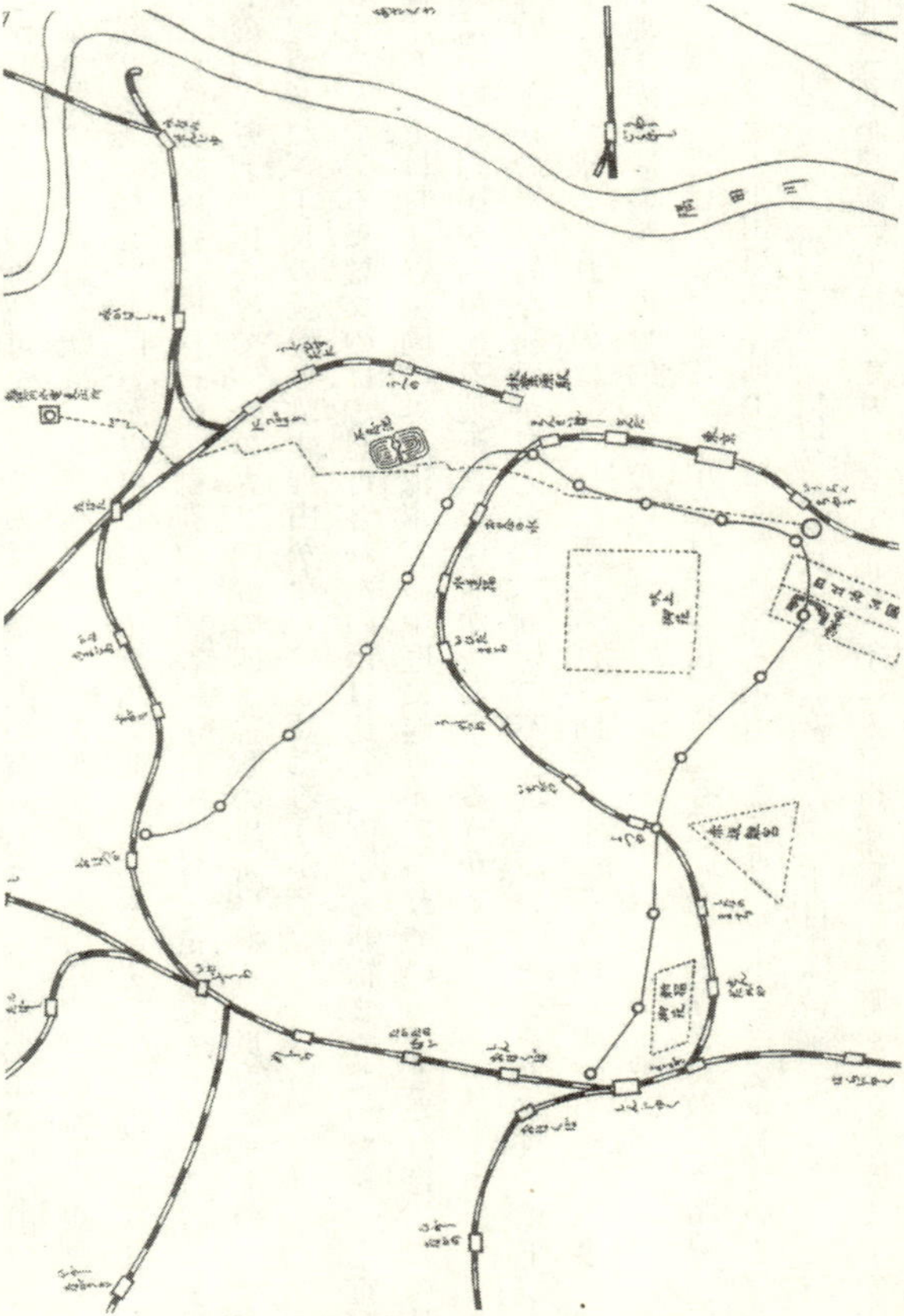

小田急が提出した地下鉄ルートと送電経路

しかし、この路線の認可を受けたのは堤康次郎の西武ではなく、利光鶴松の小田急だった。なのに、地下鉄新宿駅は、今新宿プリンスホテルがあるところ、西武・新宿駅にあった。認可を受けた後に小田急が提出した「送電図」（前ページ）を見ると、明らかだ。

そこから丸ノ内線と同様に新宿御苑前、四谷三丁目、四谷と走ってくるが、四谷の駅はJRの四ツ谷駅ではなくて、今の丸ノ内線の四ツ谷駅の場所にある。単なる机上のプランなら、わざわざJRの駅から離す理由がない。なぜだろうか？

もうひとつ、不思議なのは、認可されたのは日比谷公園から新宿までだったが、送電図では、ルートは日比谷公園の外、海軍省の中庭に起点が置かれている。となれば、この地下鉄は一般の国民が利用する地下鉄ではなかったのだろうか？

当時地下鉄の軍事的な利用が考えられても何の不思議もない。そもそも東京に地下鉄をつくることが求められたのは、空爆に耐えられる防空都市づくりのためだった。軍事的利用が地下鉄建設の第一の目的だったのだ。

不思議といえば、まだある。小田急はその後、日比谷公園から大塚までの地下路線を返上して、東京-小田原間を地上で結ぶ路線（今の小田急線に近いルート）に変更している。そして、「新宿葵線」の起点を新宿プリンスホテルから新宿三丁目に変更している。

同じ「新宿葵線」では、1923（大正12）年に東京市が終点の葵町から東京駅までの路線を計画。その半年後に小田急から地下鉄の認可を引き継いだ京王電鉄が、「新宿葵線」の起点・新宿三丁目から新しいルートを申請している。

新宿プリンスホテルの下を通って左にカーブ、千駄ヶ谷、今の大江戸線国立競技場前駅付近に向かうルートの申請をしている。当時は練兵場しかなかった千駄ヶ谷だ。どう考えても、京王電鉄の事情でなく軍事的な事情による変更としか考えられない。

東京の地下はビジネスとしての魅力をしだいに失い、本来の軍事色を濃くしていく。

50 四方八方に地下道がつくられた国会議事堂の地下の謎

国会議事堂の建設が始まったのは１９２０（大正9）年とされている。しかし、当時、官庁の設計を担当していた大蔵省の下元連氏の著書『国会議事堂建築の話』によると、１９１８（大正7）年7月に工事に着手したとある。

この2年間、どのような工事がなされていたのだろうか？　何か公にできない工事がなされていたのだろうか？　その詮索はともかくとして、話を前に進めよう。

『総覧　日本の建築』（１９８７）という事典によると、国会議事堂は工事開始から16年かかって１９３６年に完成している。その間に関東大震災を挟んでいるとはいえ、想像以上に長期間を費やしてつくられたことがわかる。

驚いたことに、国会議事堂は「施工者不詳」とされている。古代の神社仏閣やピラミッドならいざ知らず、今からわずか70年ほど前の建物、ましてや国家的建築物だ。施工者が隠されているとしか思えないが、隠す理由が私にはわからない。

わからないといえば、「SRC造3階」と書かれていて、地下はないということになっているが、国会議事堂と衆参両院の議員会館、分館とはエスカレーターのある地下道でつながっていることはよく知られている。なぜ、『総覧　日本の建築』はそれを伏せているのだろうか？

地下といえば、わが国最初の地下駐車場というと、建築関係の本には1960年につくられた「丸の内駐車場」と書かれているが、戦前の「帝国議会議事堂建築報告書」には、国会議事堂の左右に地下駐車場が建設されたことが書かれている。

1924（大正13）年に建築家・中村順平が設計した「大東京復興計画案・平面図」＝「東京近郊」という地図を見ると、国会議事堂から四方八方に道路が延びている。地上の道路の方向とは関係なく延びているから地下道のようだ。

これを同じ計画案の「新旧道路比較図」に照合すると、それらは「在来道路」とされていて、議事堂がつくられる以前につくられたらしい。

国会議事堂を囲むようにある地下道は、今の首都高環状線と首都高新宿線に合致し、外堀に沿って延びる地下道は溜池辺りに地下拠点があり、議事堂裏の地下道は江戸時代の玉川上水のルートと合致する。

右下に延びるルートは千代田線に、正面に向かっているルートは丸ノ内線に、その先は有楽町線に合致し、議事堂前庭辺りが地下拠点のようだ。わからないのが右上に向かうルートで、まっすぐ延長すると、上野公園から千住大橋（今の日比谷線のルート）につながっている。

国会議事堂は、どうやら地下道が集中する地下拠点につくられたらしい。となると、つくられたときには地下があり、その下にある地下拠点や地下道につながるルートもつくられたはず。だから、工事期間が16年にもなったのだろう。

しかし、それはすべて国家機密であり、機密の露見を怖れて施工者も地下も陸軍によって隠されてしまったのだろうか。

PART6 震災後の「帝都復興」と地下変貌の謎

51 天皇の名を冠した新道路に託した後藤新平の「地下」への思いとは？

1923（大正12）年9月に関東大震災が起きると後藤新平は、すぐに山本権兵衛内閣の内務大臣に就任。帝都復興院総裁を兼務して「帝都復興」計画を立案する。

「これまで道路がどこにあったかは考えなくてよい」と、東京の都市再設計を部下に命じたといわれるだけに、後藤の計画は、当時の国家予算の2年分に相当する30億円をかける大計画だった。

しかし、これまであった道路がなくなる、新しい道路のために土地を奪われるとなると、後藤の計画は猛反対にあって、当初の予算のおよそ10分の1、3億4000万円に予算が縮小されてしまう。それでも後藤が強く主張したのは道路建設であった。

東京の外周を一周する環状道路を「明治通り」、東京を東西に横断する道路を「大正通り」、東京を南北に縦断する道路を「昭和通り」と、天皇の名を冠して後藤は、「帝都復興」計画の柱にしたのだ。その年の12月に皇太子殿下の馬車が狙撃される「虎ノ門事件」が起きて翌年1月に山本内閣が総辞職したため、後藤はわずか4カ月で内務省を去ったが、道路建設事業は実施され、「大正通り」以外は完成する。

『帝都復興　東京全図』
帝都復興事業で拡幅や新設された街路

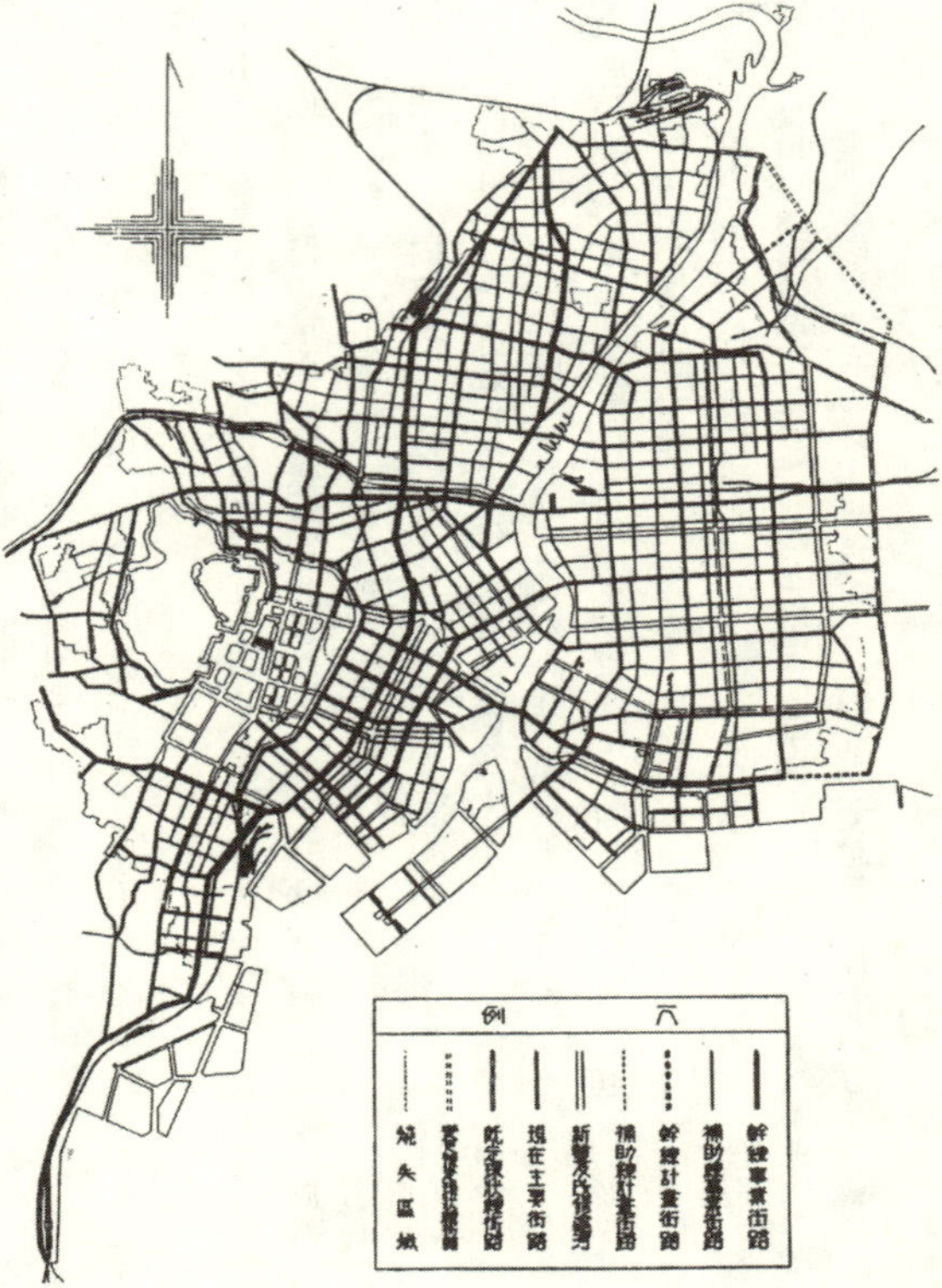

（越沢明『東京の都市計画』より）

「大正通り」は、両国と新宿をまっすぐに結ぶはずだったが、市ヶ谷の外濠がネックとなり、計画の東部分、九段にある靖国神社から両国までの直線道路が敷設されて「靖国通り」と名づけられた。戦後、外濠の西側、新宿までの道路も「靖国通り」と呼ぶようになったが、道路は外濠で分断されている。

外濠の地下にどのような国家機密が隠されているのか、もちろん誰も語ってくれないが、東京の地下を握っていた陸軍が道路建設を許さなかったことは確かだ。新しい道路を敷くとなると、あちこちで地下道網にぶつかるからだ。

都市計画に明るく、内務大臣の経験もある後藤がそれを知らなかったわけはない。知っていて、あえて復興計画に入れたのには、奥の深い、大きな意図が後藤にあったはずだ。天皇の名を冠しているのは、後藤の並々ならぬ決意と理解すべきだろう。

完成した明治通りにも昭和通りにも、陸軍が秘かに計画していた地下道のルートがあり、これを知った後藤が、意図的に道路を敷いたのではないだろうか。

後年、アメリカの都市計画の専門家ビアード博士を招き、陸軍による地下建設に警告を発する（詳しくは項目68で述べる）後藤のことだ、国家機密とされている地下道網を国民に知らせ、東京の地下を国民のものにすべきだ、という考えが隠されていると、私には思えてならない。

52 建築家・中村順平が国の都市計画案を非難した理由とは？

コルビュジエの『輝くパリ』が世界でセンセイショナルな話題になっているころ、パリに留学していた建築家・中村順平は、1924（大正13）年に帰国した。

そのとき目にしたのが、前年の関東大震災で焼け野原になった東京であった。震災からの復興を目指した「帝都復興」事業もスタートしたばかりで、いつ道路がつくられるかも国民にはわからない状態だったに違いない。

中村は、すぐに『東京の都市計画を如何《いか》にすべき乎《か》』という一冊の本を書き下ろし、出版して、内閣、枢密院、貴族院など20カ所にその本を寄贈している。それは論旨明快で、その主張は当を得たものであった。

「当局の都市計画を破棄せよ」が第一節のタイトルであることからもわかるが、内務省の「復興計画」を全面否定し、「なぜ過去の道路にこだわるのか？」と問題提起し、「何がために当局はしかく卑屈なるか？」と強い調子で批判している。

「明治政府は、堀を埋めただけで道路の再設計は行っておらず、東京は抜本的な都市計画が必要だった。焼け野原になった今こそ新しい道路をつくり、新しい東京をつくるべきだ」

と、江戸時代の町並の再現を考えている政府を批判している。

当時の東京の道路の幅は狭く、市街の区画も小さかった。中村順平には「これまで道路がどこにあったかは考えなくてよい」という後藤新平の考えに通じるものがある。新しい都市づくり、首都づくりを主張していた。

今の東京の道路の9割は「帝都復興」事業でつくられ、「帝都復興」事業は江戸を東京に変えたとされている。

しかし、中村にすれば「江戸を再現した」ものにしか見えなかった。では、なぜ、このとき政府は思いきった都市再設計を行なわなかったのだろうか?

江戸時代の「天下普請」も、明治時代の「市区改正」も、そして震災後の「帝都復興」も「先に地下があった」。地下の要塞計画が地上の都市計画に優先されたのだ。

53 批判者・中村の地下計画案が、なぜ帝都復興に採用されたのか?

中村順平の『東京の都市計画を如何にすべき乎』は、第三節でコルビュジエの『輝くパリ』を紹介したあと、第四節で『輝くパリ』を東京に導入した地下計画が示されている。その地下計画の全体像を示しているのが、まえがきでも紹介した「東京近郊」と題する地

大東京市復興計画案　鳥瞰図

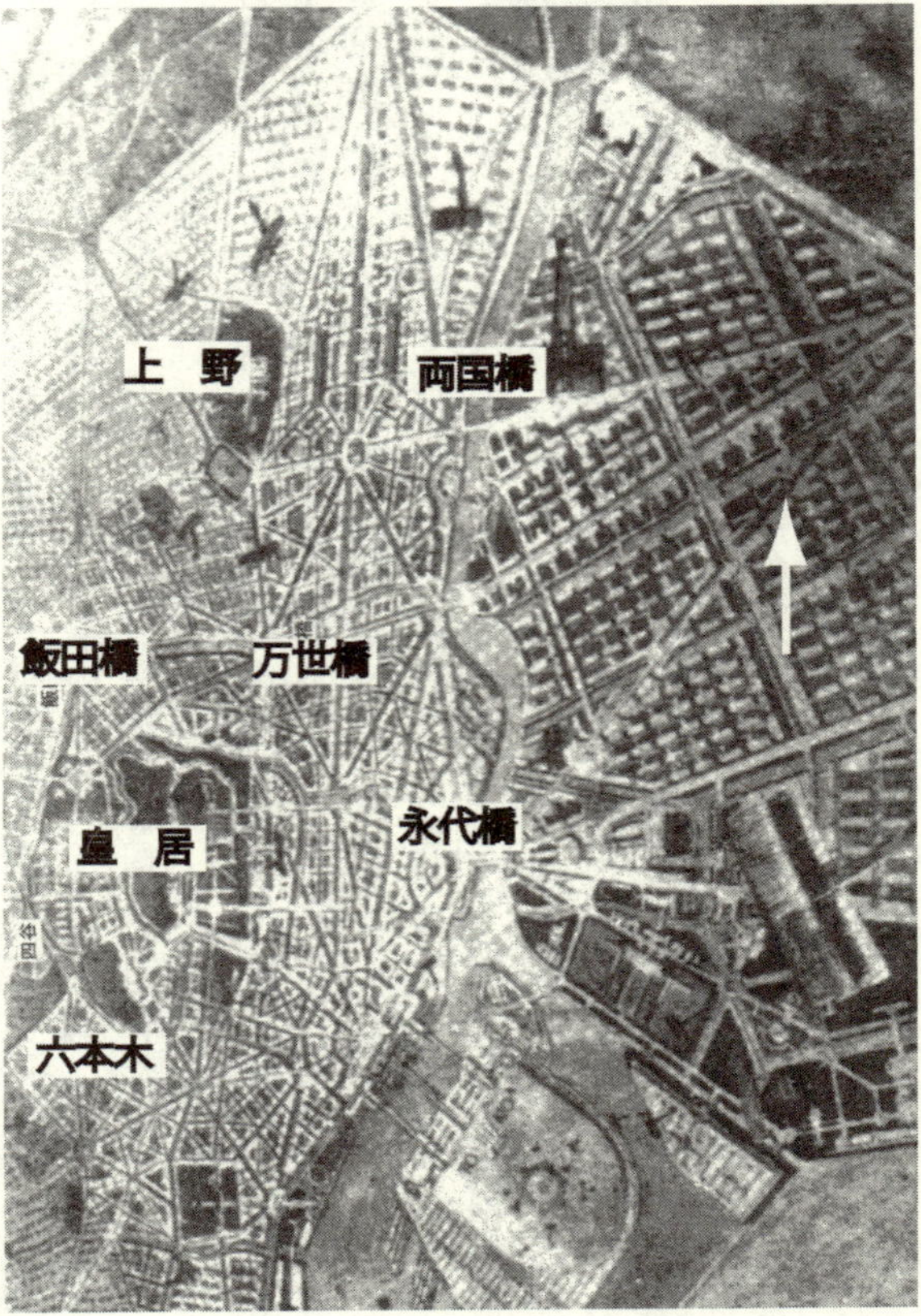

（『東京の都市計画を如何にすべき乎』より）

図だ。この地図の作成には陸軍測量部、航空部、内務省が参加している。

ここで、多くの人が疑問を感じるのは、第一節、第二節で明治政府、内務省を厳しく批判していた中村の計画が、なぜ「帝都復興」事業の計画図に採用されたのか、ということではないだろうか。

政府は陸軍の考えを尊重して、既存の地下道、地下拠点からなる地下網はそのままにして、それに合致した地上の復興計画を実施していて中村の批判を浴びたが、第四節は地下計画だ。空爆に対応する地下網の再設計を求める声は陸軍内部にもあったはず。

最新のフランスの地下設計理論による中村の地下計画は、陸軍にも歓迎されてB２（地下２階）の計画として採用されたと、私は考えている。B２といっても、より深い位置への移動が課題だった当時、この計画はその後の地下要塞建設の基本計画となったはずだ。

この計画の立体模型写真（前ページ参照）がある。カメラは東京の東のはずれから、かなりの低空から撮影されたものだ。手前の飛行機の下が千葉県の洲崎、中央の隅田川にかかる橋が永代橋。その先に塔のように見えるのが日本橋で、丸の内の西に皇居が見える。

市街を斜めに貫通するように走る道がある。この道、よく見ると地上の道との関連が薄いように見える。この道こそ地下道ではないだろうか？

「東京近郊」という質の高い地図が作成され、計画の立体模型がつくられたのも、私は、

大東京市復興計画案　新旧道路位置比較図

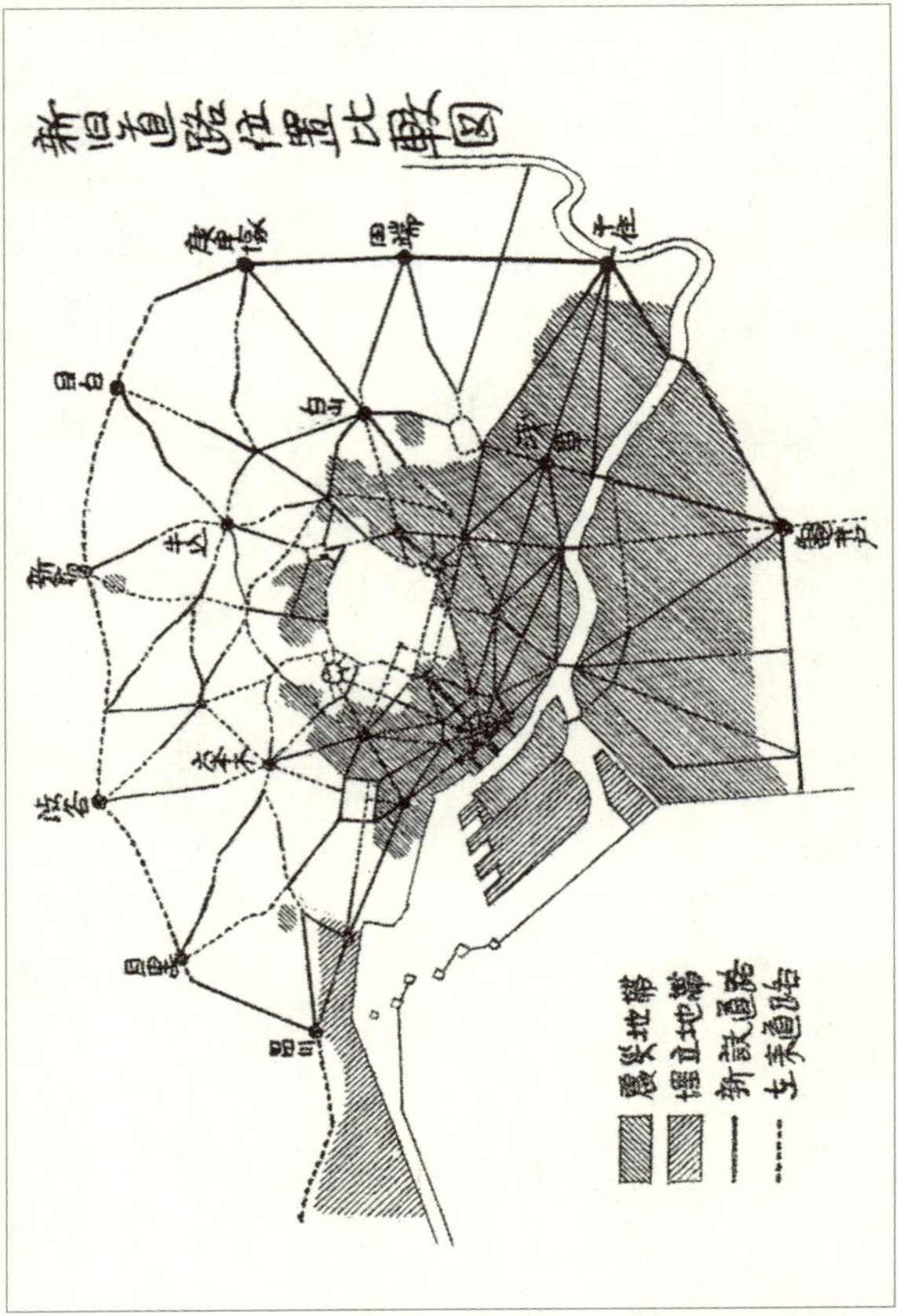

（『東京の都市計画を如何にすべき乎』の挿図より）

中村の地下計画で関東大震災後の東京地下のマスタープランができたから、と考えている。『東京の都市計画を如何にすべき乎』にある「新旧道路位置比較図」（前ページ参照）は、計画を単純化した「概念モデル」といったものだ。

たとえば外周（目白－新宿－渋谷－目黒）は在来道路とされているが、「東京近郊」を見ると、今のＪＲ山手線に合致している。

築地周辺は実線と点線が重なっていて、「新設」という文字がある。ここは在来の地下道が浅すぎるので、より深いところに新しく地下道の建設を考えていたのだろう。実線が新設の地下道、点線が在来の地下道だ。

中村の地下計画における東京の中心は、宮城でも霞ヶ関でも丸の内でも新宿でもない、築地だ。築地の建物の屋上には通信施設、地下には地下鉄の駅と兵器倉庫、周辺には新聞社と市場を置くとしている。

そして「宮城内から地中に直下して、一方は中央停車場（今の東京駅）に、他方は新宿駅から中央線に通じる隧道（トンネル）は必要かと思う」と書かれている。

実際に、築地から新宿までの地下鉄建設は、最優先事項として「帝都復興」計画事業にも加えられたと、私は考えている。この地下鉄こそ、戦前につくられたはずなのに、つくられていないとされている、幻の「地下鉄新宿線」なのだ。

54 シールド工法の導入で、帝都の地下はどう変わった？

1924（大正13）年から始まった「帝都復興」事業で、幅22メートル以上の幹線道路が52路線、総延長およそ114キロメートルが整備され、今の東京の道路の骨格がつくられた、とされている。

また、関東大震災で失われたおよそ3465ヘクタールを上回るおよそ3600ヘクタールの地域で区画整理事業が行なわれ、幅4メートル以上の生活道路、上下水道とガスなどのライフラインが整備された。

東京都都市整備局がまとめた『東京の都市計画の変遷』では、「都心・下町の市街地を一新するものであった。」としている。しかし、すでに述べてきたような地下の再設計についてはまったく触れていない。

バランスを欠いているようだが、地方自治体である当時の東京市には、地下は国の支配下にあり、手を出せない領域であった。したがって、上下水道とガスなどのライフライン整備以外に何も書かれていなくても致し方ないのだ。

それはそれとして、陸軍にとっては、第一次世界大戦後の大きな課題になっていた航空機による爆撃に対応する「防空都市づくり」に本格的に着手しはじめるチャンスであり、中村順平の地下計画が採用されたことは前項で述べた。

「防空都市づくり」は、地下43メートルの深さに、2つの地点を一直線に結ぶ「街路」という地下道をシールド工法で建設する計画として具体化する。これによって当時あった地下施設の整理・統合が一気に進んだと思われる。

使わなくなった地下施設もたくさんあったはずで、「洞道」のように郵便や通信、下水や水道、ガスなどのライフラインに再利用されたものも少なくなかっただろうし、地下鉄を走らせるために民間に払い下げられたものもあったに違いない。

今、銀座線の銀座駅の下には日比谷線の銀座駅がある。私は、日比谷線の銀座駅は深さからいっても、築地と新宿をつなぐ「地下鉄新宿線」のルートにあることからも、震災以後にシールド工法でつくられたものだと考えている。

そのとき、上にあった銀座線のトンネルを支える工事をしたはずで、銀座線のトンネルはそれ以前につくられたものと考えられる。江戸の地下道か、それとも市区改正のころにつくられた地下道だろうか。

地下鉄に乗っていると、戦後につくられたとは思えないほど古びた壁をよく見る。そんなとき私は、「これはもしかして⁉」と思ってしまう。おそらくシールド工法が初めて東京の地下建設に本格的に使われたのはこのころと思われるので、シールド工法ではない古びた地下トンネルとははっきり区別できる。

関東大震災以後、東京の地下網の再設計計画は大きく進んだに違いない。

55 帝都復興の「改良工事」も実は、国家機密の地下道建設工事だった？

中村順平の地下計画が陸軍の「防空都市づくり」計画に採用されたころ、東京のいたるところで「改良」工事が始まった。

道路改良、路面改良、軌道改良、水道改良、下水改良、公園改良、小学校改良などなど、要するに、ライフラインを中心に公共機関や公共施設の「改良」工事が行なわれ、当時の東京市の予算の4分の3が注ぎこまれている。

当時の東京市議会の議事録から、ある市議が「下谷の下水工事」について質問している内容を紹介しよう。

「この道路工事につきまして、付近の住民が大変迷惑をしているということは、今まで私どもは度々のことではございました、近頃、浅草方面において改良下水の工事が始まっておりまして、ある町のごときは、ほとんど全部穴があいて往来も何もできないという実際でありまするが、(中略)。まず第一に掘りましたる所がいつまで経っても完成しない。とにかく半年も一年も大きな穴があいているために商売というものができない。子供がそういう所に落ちこんだとか、酒の機嫌でケガをしたという者もありますが、死んだという話も度々あるのでありまして(後略)」

これが当時の「改良」工事の実態なのだ。大金をかけて長期間、道路に大きな穴を開けて何をしているのか、一般の市民にはまったくわからない。その苛立ちというか怒りを当局にぶつけている。まるで明治の「市区改正」を思い起こさせる。

上野公園を宮内省から東京市に移管する話があって、公園の改良とともに周辺の道路工事が前倒しして始まったらしいのだが、移管は実現せず道路工事だけが延々と続いていた。怒りを宮内省には持っていけない市民は東京市にぶつけたのだろう。

この議論の裏側には、またまた地下道の工事が隠れているのだ。中村順平の「東京近郊」にあった国会議事堂から右上に延びるラインを延長して上野公園につなげる地下道、その工事が当時、行なわれていたのではないだろうか?

それを知っている議員たちは、地下を公にできない暗黙のルールのなかで精一杯の抗議を議会でしていたのだ。当時の「改良」工事は、「帝都復興」という目的は同じだったが、改良するのは地下であって地上ではなかったと、私は考えている。

56 「帝都復興」の美名に隠された極秘地下鉄建設工事の影

ある日、本郷駒込に杭が打たれ。市電の車庫をつくる工事が始まった。そのために百数十戸の住宅が取り壊されることになり、約千人の人が立ち退きを命じられた。

「市区改正の際に家を奪われ職を奪われ、やっとここに住み家を見つけた。ようやく商売の基礎を固め、これからというときに、再び生活を奪われようとしている」と、住民にかわって市議会議員が東京市に訴えたが、悲しいかな、その訴えは聞き入れられなかった。

同様に、市民が理解しがたい場所に水道局の出張所ができたり、墓地が売却されたかと思うと別の不動産が市に買い上げられたり、売られた土地のすぐ隣の土地が買われたり、厖大な数の土地売買が「帝都復興」事業と称して東京市によって行なわれている。

駒込、本所、広尾にあった病院は腐朽しているという理由で移転し、今の文京区にあった名門私立学校はなぜか「帝都復興」事業で校舎を増築している。

校長は、「この増築事業ほど有意義なるもの他に多くこれあるべしとも思えず（略）ついに震災後五周年の機をもって、この有意義なる事業を実行し、もって国家に報ぜんとする（略）」と、各方面に手紙を送っている。

校舎を増築してもらって喜んでいるのは理解できるが、「この有意義なる事業を実行し」というのは、どういう意味なのだろうか？　この学校は国のために何か有意義なことをしたのだろうか？

調べてみると、校舎増築の設計を担当したのはなぜか鉄道省の技師で、この工事に国が深く関わっていた。つまり、校舎増築以外の工事、鉄道省の技師が関わって、国民に見えない工事となれば「地下鉄工事」しかない。戦後、この学校の地下には大きな講堂がつくられたそうだ。

これ以上の説明はいらないだろう。極秘の地下鉄建設工事が行なわれていて、この学校はそれに協力し、謝礼に校舎を増築してもらったのではないだろうか。そうなら、まさに有意義な報国事業だ。

この時期に建てられた小学校、保健所、公衆衛生院、図書館、浴風園、そして神宮前に最近まであった同潤会アパートも、同様に有意義な「帝都復興」事業の成果とされている。

57 私鉄3社から地下鉄認可を奪った東京市の地下戦略とは？

関東大震災の翌年、「地下鉄建設に向けての動きが見られない」として、当時の鉄道省は、4年前、原敬内閣のときに与えた地下鉄建設の認可を、小田急、三井財閥グループ、東急から取り上げている。

小田急は、認可の内容を新宿‐小田原間の地上の鉄道（今の小田急線）に変更していて実害はなかったが、東急の五島慶太は鉄道省に抗議している。その五島が著書『五島慶太伝』で、このことについて次のように書いている。

「これは単なる表面上の理由であって、実は大震災後における東京市内の交通を、東京市で独占しようとする当時の後藤市長の計画の犠牲となったものだ。当時、当社はかくのごとき苛酷なる免許失効に対してその不当なるを力説し、抗議したのだが、ついに当局の容れるところとはならなかった」

おそらく五島はかなり建設を進めていたと思われ、認可を取り上げられただけでなく、建設途中の地下施設も失うことになったのだから、その怒りは想像がつく。その怒りの矛先にいたのは、東京市の後藤市長、すでに何度も出てきた後藤新平だ。

米騒動が起こり志なかばで内務大臣を辞任した後藤新平は、1920（大正9）年に東京市長に就任すると、2年後の11月に虎ノ門‐竹橋間に地下鉄を走らせる計画を発表し、その翌年2月に認可申請を出し、4月に市長をやめている。

後藤新平は1929（昭和4）年に他界しているが、後藤新平が地下鉄について残した言葉がある。「地方自治体には、できないことがある。私鉄には、やらせられないことがある」。東京の地下は地方自治体には何もできないが、地下鉄は私鉄にはやらせられない、という意味だろうか？

五島慶太が指摘しているように、後藤新平は東京市内の交通、地上も地下も独占する計画を立て、かつての部下がいる鉄道省を動かして「政敵」原敬内閣の決定を覆した、というのが真相だろう。

1924（大正13）年7月に東京市は、私鉄3社が認可を取り消された路線を含む4路線の地下鉄建設を申請し、わずか10日で認可を得ている。後藤新平に唯一、認可を取り消されなかった早川徳次の東京地下鉄道は、後に新橋駅で五島慶太と激突する。

58 東京市が考えた「東京地下再設計計画」に秘められた謎？

では、ここで1924（大正13）年に東京市が最初に認可の申請をした6路線を検証してみよう。そこに当時の東京市が考えていた「地下鉄建設計画」の理念が見える気がする。

●**第一線**　築地－日本橋－浅草橋－浅草－押上

今の築地卸売市場と浅草をつなぐ路線で、今の都営浅草線とほぼ重なる。申請には、4

東京特別都市計画高速道路路線図（1925年）

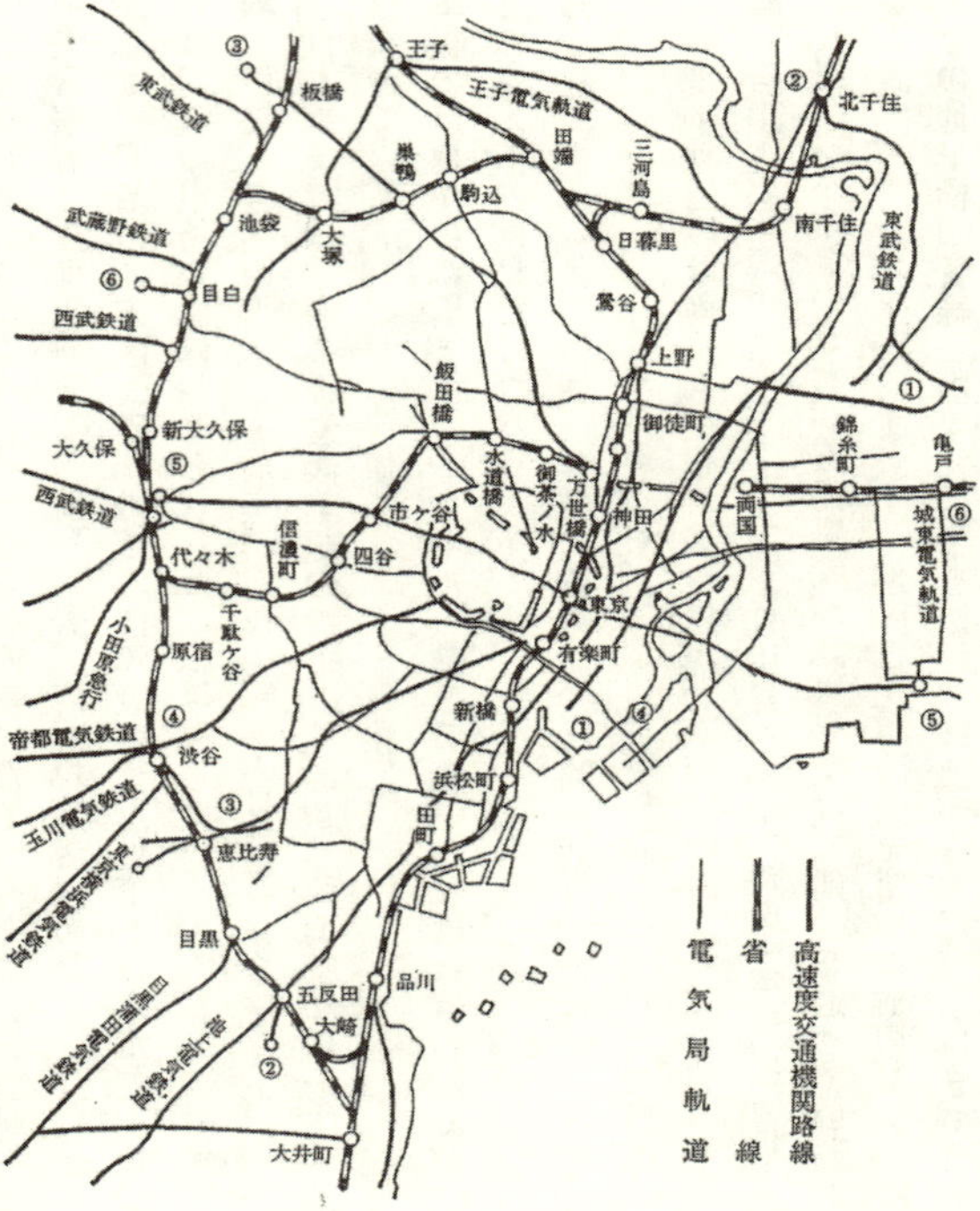

1925年の地下鉄計画図

（『東京地下鉄道千代田線建設史』より）

カ所の住所が書かれているが、それをつなぐと直線になる。今そこには築地警察署、中央区役所、中央警察署、久世警察署、蔵前警察署、浅草税務署がある。

直線の部分は、明治の「市区改正」のころに建設された地下トンネルで、都営浅草線と重なる部分は、この申請の後につくられたと、私は考えている。

●第二線　戸越－五反田－三田－赤羽橋－新橋－銀座－日本橋－秋葉原－上野－千住大橋

戸越から日本橋までは、今の都営浅草線のルートであり、秋葉原から千住大橋までは日比谷線と重なっている。

都営浅草線の戸越から新橋までのトンネルの壁をご覧いただければわかるが、銀座線より古いように見えるのは私だけだろうか？

新橋から千住大橋は「帝都復興」事業の幹線1号「昭和通り」の地下で、項目51で述べたように、「昭和通り」がつくられるとき、すでに地下施設があったのではないかと思っている。この地下鉄建設計画にも後藤新平の息がかかっているから、なお、そう思える。

●第三線　目黒－恵比寿－六本木－虎ノ門－日比谷－東京－神田－本郷三丁目－巣鴨－板橋

目黒－恵比寿－六本木というと、五島慶太が認可を受けて建設を進めていたところ。今の日比谷線と違って、六本木からまっすぐ進み日比谷公園を斜めに横切っている。

その後、今の地下横須賀線と山手線の下を抜け、神田から本郷三丁目までは丸ノ内線が建設されたときに線路が敷かれた後、ルート変更になったところだ。

●第四線　渋谷－高樹町－赤坂見附－桜田門－日比谷－築地－月島

渋谷から、今の銀座線とは違って六本木方向に進み、高樹町からまっすぐ桜田門へ。ここで右にカーブすると、築地までは直線コースだ。今の地下鉄とはまったく異なるルートだ。

●第五線　新宿－四谷四丁目－市ヶ谷－五番町－東京駅前－永代橋－南砂町

新宿から市ヶ谷までは、都営新宿線と重なる。市ヶ谷から東京駅に向かい、JRの線路の下を抜けて永代橋、そして東西線の南砂町というルートは、今地下鉄は走っていない。

新宿－市ヶ谷、市ヶ谷－東京駅前が直線で、大半が道路の下を走っていない。地下道が道路の下にないのは、それまでの東京の地下にないことで、新しい道路の敷設が計画されていたときだから、あえて新提案として政府に示したのだろうか？

そういえば、五番町－東京駅前の直線は、皇居の中央を斜めに横切っている。近衛師団、宮内庁、枢密院、もちろん陸軍の了解を得なければ提出できないルートだ。そのせいか、すぐ後に出した認可申請から第五線は外されている。

しかし、計画を出す前にクリアしなければならない、難しい作業が多いこの計画図を見たとき私は、逆に「このルートから建設工事が始まった」と思った。すでに工事を始めていて、どうしても認可がほしかったのではないだろうか？

この仮説、丸ノ内線西新宿駅の開業で正しかったことが証明されたと、思っている。

●第六線 大塚－池袋－目白－江戸川橋－飯田橋－九段下－大手町－日本橋－人形町－大島町

このルートには今、JR山手線、2008年6月に開業した副都心線、有楽町線、東西線、半蔵門線、都営新宿線が走っている。そして、「未供与」＝未だ民間には開放されていない丸ノ内線、有楽町線の支線も含まれている。

こう見てくると、この計画は後藤新平を市長に迎えた当時の東京市が描いた壮大な「東京地下再設計計画」に見えてくる。まさに縦横無尽に東京の地下を地下鉄が走っている。

59 新宿駅の地下道は「帝都復興」のシンボル的存在だった！

震災で浅草、新橋、人形町という下町の盛り場が壊滅的な被害を受けた後、1925（大正14）年に新しい新宿駅が誕生する。

これを機に東京市電が東口の駅前まで線路を延ばし、青バスのターミナルが東口にでき、西武鉄道が開通して、新宿東口は「帝都復興」を体現する新しい盛り場として東京市民に認知されることになる。

「あの明るい白いタイル張りの新宿駅の地下道は、機械文明の明るい氾濫だ」と当時の新聞が報じている。それまで国家機密として公にされることがなかった地下道が、初めてマスコミの脚光を浴び、市民が早朝から深夜まで間断なく行き来することになったのだ。

東京の地下にとって、それは新時代の始まりを予感させた。そんな新宿で鉄道関係者の注目を集めたのが、新宿大ガード。山手線が上を走り、西は青梅街道、東は靖国通りと呼ばれている幅の広い道路が下を交差している。

1925(大正14)年に東京市が発表した計画では、今新宿プリンスホテルがあるところを起点に、今の防衛省、市ヶ谷駅、三番町、内濠を渡って代官町、皇居蓮池濠から東京駅に向かう地下鉄が走る予定であった。

すぐに計画は変更されるが、これが「地下鉄新宿線」の本命ルートではなかったかと、私は思っている。

大ガードに最初に地下鉄の計画を申請したのは小田急だが、すぐに新宿三丁目に変更。その直後、京王電鉄が「新設軌道敷」を敷設したいと申請している。

五島慶太は西武鉄道を引き受けて、新宿東口から大ガードまで北に進み、そこから左折してガードをくぐり、新宿西口から青梅街道を荻窪まで線路を延ばしていく。

ここはもともと三井財閥グループが認可を受けていたが鉄道省に取り上げられ、かわって五島が地上に線路を敷いた、とされている。あの早川徳次も東京市の計画が出る直前まで、新宿―上野を結ぶ地下鉄の申請をしていた。

このように、東京市も含めて鉄道ビジネスに関わる人たちがそろって新宿大ガード付近を起点にする地下鉄、鉄道を計画していたことは、当時の東京市民が「帝都復興」の希望を新宿に求めていたことの表われだと、私は思う。

だから今でも、新宿には地下鉄が3路線走り、大きな地下街が東西に広がっている。

60 庶民の足「市電地下鉄」は、なぜ消えた?

今は、たった1路線になってしまったが、かつて都電は、東京市内に網の目のような線路網を持ち、路線の数は30とも40ともいわれ、まさに「庶民の足」となっていた。都電は1両なので、十字路でも90度に曲がることができ、同じ停留所からどこにでも行くことができた。そんな都電を地下に走らせたい、と考えていた人がいた。

1919(大正8)年に小田急と三井財閥グループが申請した地下鉄建設計画は、いずれも当時の市電(路面電車)を地下に走らせる計画であった。

そして、新宿が盛り場としてにぎわいはじめたころの内務省の地図を見ると、新宿西口に市電地下鉄という文字が見える。そこから東口の市電の停留所まで、短いがJR新宿駅の下に地下トンネルらしい線が描かれている。市電が地下を走っていたのだろうか？

今、新宿駅で京王線と相互乗り入れしている都営新宿線の車両は、都電（かつての市電）と同じ広軌だ。その都営新宿線は、新宿三丁目駅と新宿駅のあいだの地下で京王線の線路に乗り入れている。

仮に新宿三丁目から分岐線が、かつて大ガード下まで延びていたとすると、戦後、都営新宿線が開通したことで、その線路は使えなくなったはずだ。地下鉄に使えなくなったトンネルは地下街にするか地下駐車場にするか、地下ギャラリーにするか、再利用の方法を考えなければならない。

大ガードに近い新宿プリンスホテルの地下には今駐車場があり、新宿三丁目のアドホックの地下にある駐車場と地下トンネルでつながっている。その上には、丸ノ内線の地下1階とは違った、広く明るい地下街ができている。

新宿三丁目から少し市ヶ谷方向に靖国通りを歩いたところにある東長寺の地下には、都営新宿線開通と合わせて地下ギャラリーと地下博物館ができた。

そういえば、アドホックも伊勢丹も、かつての都電の車庫の一部に建っている。私には、内務省の地図に描かれたことはないが、極秘の市電地下鉄「市営軌道」が新宿の地下を走っていた、と思えるのだが。

61 東京市の地下鉄は、昭和の初めに線路を敷き終わっていた？

1924（大正13）年に東京市が認可された地下鉄は、「帝都復興」という大都市計画事業のひとつとして、地上の道路網と同様に昭和の初めにはできあがっていた、と私は思っている。そう思わせる資料を私はいくつも得ているが、その1つ2つを紹介しよう。

1925（大正14）年、月刊誌『道路』に、「地下埋設物」についてという原稿が掲載されている。

そのなかで、著者の伊地知季一氏は、「地下鉄建設は、1日の工程が300尺から500尺（90～150メートル）だ」とか、「B1、B2の立体交差の場所では、余裕が少し小さすぎる」とか、実際に目の前で地下鉄の工事を見ているような指摘をしている。「地下鉄道に付属して共同管路を築設するは一案なり。ただし、ニューヨーク市において、これを試み、失敗せし先例もあれば、なお研究を要す」と書いている。かなり専門的で具体的な指摘で、地下鉄工事が始まっていたことを示唆している。

四谷－新宿、浅草－上野の2つのルートには、すでに地下道があってスペースに余裕がないことも指摘している。これには日本橋付近の地下鉄平面図と断面図が掲載されているが、それは東西線日本橋駅に一致している。

翌年に出た『ああ、東京市の道路』という著書のなかで長塚順次郎氏は、「地下鉄道工事跡の軌道の補修」について「ぜいたくで浪費だ」と東京市電気局の工事を批判している。

これは、わが国最初の、新橋‐浅草間の地下鉄が開通する前年に、東京市が地下鉄の線路を敷き終わっていたことを示している。認可されたすべての路線がそうであれば、新橋‐浅草間の10倍以上もの距離だったはずだ。

しかし、この後、月刊誌『道路』は廃刊になり、東京の地下が明るみに出ることを恐れた陸軍が、あの手この手を使って「地下鉄は建設されていない」という情報を流しはじめる。そして、東京市の地下鉄建設のための起債が国から却下されてしまう。

62 昭和通りの地下にも「市電地下鉄」が走っていた?

1939(昭和14)年、地下鉄新橋駅で起きた「地下鉄騒動」について、当事者のひとり五島慶太は、『五島慶太伝』で次のように書いている。地下を追いつづけてきた私には、気になる記述があるので紹介しておこう。

「私はレールを新橋駅において直結することを懇願したが、早川氏は頑として承知せず、新橋駅にて乗り換えるか、しからざれば昭和通りを経て浅草にいくことを主張して譲らなかったのだ」

私が気になったのは、「昭和通りを経て浅草にいく」という早川の主張だ。そこは、今の都営浅草線のルートであり、1920（大正9）年に汐留から人形町まで路面電車の敷設が東京市で計画されていたルートでもあった。

早川が内務省から認可されていた高輪から浅草までの地下鉄のルートは、指定されていなかった。どこにどう線路を敷くかは早川の裁量にまかされていたのだ。つまり、昭和通りを経て浅草に行くルートの権利は、早川が持っていたことになる。

もともと自分のものだったとしたら、「昭和通りを経て浅草にいく」という言葉が早川の口から出たとしても、ある意味、自然なことだろう。だからこそ、五島も何のためらいもなく自伝でそれを明らかにしているのだ。

ところで、東京市が計画していた路面電車の線路は現在に至るまで建設されていないが、アメリカ軍が1953（昭和28）年につくった地図には、新橋から三原橋まで広軌の線路が描かれている。それが地上になかったとすれば地下しかない。

1924年に認可申請が出された東京市の地下鉄建設計画は、1億9000万円の巨費を投じながら何も建設されなかったとされているが、すでに述べたように早川が建設した新橋－浅草の地下鉄開通の前年に線路を敷き終わっていたはずだ。

早川から東京市が認可を譲り受けた経緯はわからないが、ここも東京市の計画ルートに入っていたから、線路が敷かれていたに違いない。しかし、「地下鉄騒動」のころになっても電車は走っていなかったのかもしれない。

だとすれば、「昭和通りを経て浅草にいく」という早川の言葉に説得力が増す。

63 地下深くを一直線に貫く「街路」はどこにある？

戦後にまとめられた『近代日本建築学発達史』（日本建築学会編）のなかで、「帝都復興」事業の都市計画をまとめた人物は次のように述べている。

「街路計画作成にあたって多くの街路中でも、とくに基幹となるものの位置がまず決定されることになった。

第一に東海道と日光街道を一直線に南北に通し、次いで甲州街道と青梅街道を合わせたものと、千葉街道とを一直線に東西に通すことになった。すなわち、前者は品川から千住大橋に通ぜしめ、後者は九段下から錦糸町に至らしめた」

帝都復興事業で東京の道路はほとんどが敷き直されたが、千住大橋と品川を一直線に結ぶような道路は地上につくられていない。

「甲州街道と青梅街道を合わせたもの」といっても、どんな道路かよくわからないが、地上にはそのような道路は存在しない。

ましてや、それと千葉街道とを一直線にした道は見当たらない。「街路」もまた地下につくられた道路に違いないのだ。案の定、中野から西船橋まで東西に走る地下鉄東西線の断面図を見ると「都市計画街路」という地下道が存在している。

ならば、千住大橋と品川を一直線につなぐ地下道はどこにあるのだろうか？　私は地図にラインを引いて、街路の痕跡がどこかに残されていないか調べてみたが、見つからない。「帝都復興」事業の中心が皇居前広場だったことを思い出して、ラインを引き直した。

千住大橋‐皇居前広場のラインを西にまっすぐ延ばすと、五反田駅にぶつかった。ここには今、都営浅草線が走っている。都営浅草線は、三田から線路が分かれて品川に通じている。一考の価値ありと考えている。

このラインは、三ノ輪から上野まで昭和通りと重なっている日比谷線のルートだが、並行して「街路」という地下道があっても不思議はない。千住大橋の先にラインを延ばすと、小菅の東京拘置所に当たった。皇居前広場から下にラインを延ばすと東京地検だ。

このルートが街路一号だとすれば、戦後に法務省が考えた極秘地下鉄計画は「帝都復興」

事業で計画された街路一号をノンストップで走る計画だったことになる。私はこのルートが怪しい、と思っている。

「市区改正」の事業でつくられた「洞道」は、航空機による爆撃の時代に入って意味がなくなって、「帝都復興」事業では拡張もされず線路も敷かれず、歩行用となった。これにかわってつくられたのが「街路」で、陸軍が求めていた「次世代の地下道」だったに違いない。

64 新橋、高輪から五反田につながる「街路」の謎

千住大橋－皇居前広場を結ぶ直線を西に延ばすと、JR山手線五反田駅に達することはすでに述べたが、都営浅草線新橋駅のホームを一直線に西に延長すると、芝公園、三田二丁目、都営浅草線高輪台駅からやはりJR山手線五反田駅につながる。

途中、当時の海軍水路部、華頂宮邸、高輪御殿、今の高野山東京別院を通過する。そのルートが、当時、内務省がつくった地図の点線部分、地下道のようなルートと重なるのだ。

高野山東京別院は、サンシャインシティと同様に、地下に東京電力の変電所がある不思議な寺院として、これまで何度か取り上げてきた。寺院の下に、わざわざ変電所をつくる

理由がわからないからだ。

内務省の地図と考えあわせて、「帝都復興」事業で敷設された、地下深くを一直線に貫く地下道＝「街路」がこの場所を通っていたのではないか、という仮説を立ててみた。

すると、最初、高輪から浅草までの地下鉄建設を考えていた早川徳次が高輪‐新橋の地下鉄建設を断念せざるをえなかったのは、この「街路」があったからということになる。早川が最初の起点だった高輪でなく終点の浅草から工事を始めた理由も同じだ。

しかし、高輪での地下鉄は諦めても、早川は代わる地下道などの地下施設の建設はやめなかった。高輪には皇族の邸宅が集まっていたから、「報国」ということを考えれば、何かあったときに皇族が邸宅から脱出できる地下道をつくることは、意味がある。

その地下道を早川はつくったのではないだろうか。だからこそ、政府や政治家と深い関わりのない早川が内務省の認可を受け、東京市に認可を奪われることもなく、浅草から新橋まで地下鉄を走らせることができたのだ、と考えるのは間違っているだろうか？

このあたりが早川と鉄道省出身の剛腕・五島慶太との違いだと思う。早川のつくった地下鉄新橋駅が東宮御所の方向を向いているのは、決して偶然ではないはずだ。

65 「街路」は今でも、政府専用の秘密地下道なのだろうか？

1927（昭和2）年に「大東京街路計画」がスタートし、19の主要街路と100を超える補助街路が東京市内につくられることになった。

桜田門－虎ノ門街路、築地－月島街路、青山墓地街路、大手町街路、新宿駅付近広場および街路と、相次いで「街路」建設計画がスタートしている。

放射○○号とか環状○○号線という道路の呼び名は、このときにつくられた。郊外でも道路が3倍に広がったとされているが、住民の立ち退きは行なわれなかった、といわれている。それもそのはず、「街路」は、すでに述べてきたように、地下道なのだ。

私の調べたところでは、東京で行なわれた、それまでの都市計画事業と同様に「大東京街路計画」も地下だけが整備されたようだ。

住宅が建っている市街地に街路がつくられる場合、建設前の立ち退きはないが、将来、コンクリートの寿命がくる前に住民を立ち退かせ、地下を整備する必要があった。しかし、当時の政府は、まるで関知しないことだった。

目黒区、杉並区、練馬区にそうしたところが多く、戦後の政府を悩ませたらしい。

大東京街路網図

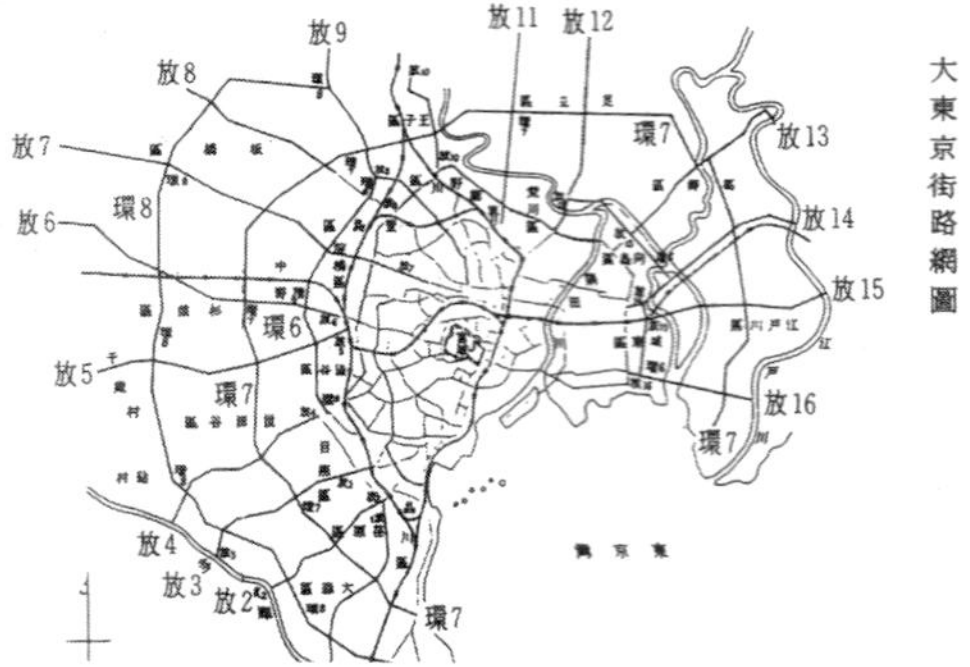

（越沢明『東京の都市計画』より）

「街路」に関してもうひとつ謎がある。当時の「放射6号」は今の青梅街道で、新宿から西に向かう道路だったはずだが、戦後の地図（1963〈昭和38〉年の地図）を見ると、市ヶ谷ボート場のある外濠のなかに「放射6号」が走っている。

そういえば、外濠を渡ることができなくて「大正通り」は幻となった。「大東京街路計画」でも「放射6号」は新宿から西に向かっていて、外濠とは無関係の道路だ。謎は、戦後の地図だ。

新宿から市ヶ谷、靖国神社から錦糸町につながる、幻の「大正通り」は、誰にも知られず、地下につくられたのだろうか？

このルートは最初の街路計画の「街路2号」にあたり、「帝都復興」計画の幹線2号にあたる。項目67で説明するように、このルートには1927（昭和2）年ころに「街路2号」が建設されたはずだ。

しかし、それは今も国家機密で、公式には「計画道路」のままなのだ。実際は、陸軍の専用地下道だったはずだし、戦後も政府が専用にしているに違いない。

66 戦後開通の都営浅草線は、昭和の初めに一部の線路が敷かれていた？

「帝都復興」道路の幹線一号、昭和通りは、北千住から来ると新橋で終わる。しかし、千住大橋から一直線に延びる「街路一号」は、地下をさらに品川まで延びている。

このラインの地上には、浜松町の貿易センタービル、東京都交通局、都営地下鉄三田駅、港区役所の出張所、水再生センターがある。公共機関の敷地が連なっていて、市民の住宅はほとんどないのが不思議だ。

東京市の「地下鉄建設計画」の第二線は、北千住から上野、新橋と来て、三田から五反田に向かう。このルートは「帝都復興」事業では下水改良ルートとされていた。

初めは道路の下を走る都営浅草線に一致しているが、途中から道路を外れて市街地の地下を抜けている。しかし、ラインの地上には社会保険事務所、港区役所などの公共機関が並んでいる。

街路一号の地上も第二線の地上も関東大震災では焼け野原になり、「帝都復興」事業でほとんどの住民が移転させられた。

しかし、道路はつくられず、かわりに公共機関が建てられ、その地下に広大な街路と下水改良ルートという地下道が建設されたのだ。

その地下道の一部に地下鉄の線路が敷かれたと、私は考えている。都営浅草線は戦後に開通しているが、線路は東京市によって昭和の初めまでに敷設されたに違いない。

しかし、その事実は長く国民の目からは隠されてきたのだ。

67 「街路」建設以前に、新宿西口に地下道があった？

今の丸ノ内線西新宿駅ができたのは1998（平成10）年のことだ。東京都庁の新宿移転で混雑が増した新宿駅の混雑解消が目的とされていたが、駅も高層ビル街への連絡通路も古びていて、利用する多くの人が変だと思ったに違いない。

調べてみると、『丸ノ内線建設史』にある線路図には、この駅の辺りに駅を示すマークがあり、長く丸ノ内線を利用している人のなかに「ずっと前からあった」という人が少なくない。丸ノ内線開業当時からあったようだ。

そこで地下鉄の歴史をさかのぼってみると、1923(大正12)年に東京市が申請した「地下鉄建設計画」の第五線の起点が西新宿駅辺りであった。その4年前に東京高速鉄道が申請し認可を得た地下鉄の起点も、この辺りだった。

さらに、「帝都復興」道路の幹線2号、靖国通り、錦糸町から九段下を直線で結び、そのラインを西に延ばすと西新宿駅に達する。このラインは後藤新平が建設を提案して挫折した「大正通り」だ。当時から地下道があった可能性がある場所なのだ。

1927(昭和2)年、新宿の淀橋浄水場から九段まで地下43メートルのところに水道管を収めた「共同溝」がつくられている。同じ年に「大東京街路計画」がスタートしていて、「街路2号」が同じルートに計画されていた。

「共同溝」と「街路2号」は、地表からの深さを考えると、同時に建設された可能性が高い。ということは、この辺りに地下道ができたことになる。

そして、東京市の「地下鉄建設計画」もルート変更はあったものの、昭和の初めまでに線路が敷かれていた、と私は考えている。地下鉄は街路より地表に近いところを走っているので、地下鉄のトンネルは街路建設より以前につくられた可能性が高い。

もしかして、江戸時代に水源から江戸の町へ水を送っていた地下給水道がここにあったのだろうか？　ここは玉川上水のルートに近いし、神田川も遠くない。

68 市民には使わせない「街路」の建設費用をなぜ市民が負担するのか？

当時の「街路」建設の実情を視察し、提言をまとめたアメリカ人がいる。それは後藤新平に招かれて来日したビアード博士だ。都市計画の権威として知られていたビアード博士の提言は、当時のマスコミにも取り上げられ、猛烈な反発を招くこととなった。

「国および宮内省の所有する街路にも、もとより建設修理点灯せねばならぬ。それを市民が負担する法はない」（『東京百年史』より）。

ビアード博士の提言がマスコミに取り上げられたことは、当時、公にはされていなかったが、「街路」は地下道の意味で使われていることが、国民の限られた層には認知もされていたことを示していて、私の興味をそそった。

「市民が使うことのない国や宮内省（天皇家や皇族）が所有し、専用する『街路』の建設、修理、点灯のための費用については、法的に市民が負担する必要がない」とする提言は、今なら多くの国民に支持される考えだが、当時は違っていた。

旧明治憲法下の日本では、認められるわけがない考えであった。しかも、「街路は地下道ではない」「東京には地下道はない」と頑なに政府、陸軍は、地下を国民の目から隠してきた。それゆえに、政府関係者はもとよりマスコミの猛反発を受けた。

いかにもアメリカ人らしいビアード博士の提言は、「街路」建設計画の問題点を鋭く突いていたが、「偏狭で技術的な意見」と、軽く一蹴されたのだった。

このことで私は、もうひとつ、ビアード博士を招いた後藤新平に改めて驚かされた。内務大臣や東京市長、帝都復興院総裁という重職にありながら、「東京の地下」を陸軍の手から取り戻し、国民のために使いたい、という考えを一貫して主張しつづけた人物だ。ここでも、その考えを明確に世に問うている。

69 国会議事堂に似た上野公園の「博物館動物園駅」の謎

昭和に入って「上野の桜が今年は咲かない」と新聞が伝えたことがある。その理由は、上野公園の地下に電車を走らせる工事が始まったからであった。

上野公園に電車を走らせる計画は筑波鉄道が申請し認可を受けた。その後、あの利光が起こした京成電鉄がそれを買収し、実際に電車を走らせたのは京成だ。

京成は当初、シールド工法を使わず、地面を掘って地下に線路を敷く道をつくり、その

国会議事堂にそっくり？

京成電鉄博物館動物園駅

上に土砂を埋め戻す形でトンネルをつくり、土砂の上に道路をつくるという、江戸時代の「上水」を思い起こさせるような工法を考えていた。

手間も人手も少なくすみ、150万円ほどコストが削減できたのだが、「百五十万円のために上野の桜を枯らしていいのか」とか「恩賜公園に縦横無尽に地下鉄道の貫通するような道路をつくっていいのか」といった、激しい非難の声を浴びた。

その結果、桜を枯らさないなど、上野公園の自然保護、環境保護に配慮した厳しい条件を飲み、京成電鉄は上野公園に全長2キロに及ぶ地下道をつくり、地下鉄を走らせた。

今、上野公園に行くと、国会議事堂にそっくりの建物を見ることができる。京成電鉄の地下駅、博物館動物園駅の入口だ。

ホームの長さが電車の長さより短くなって、駅は今使われていないが、このユニークな建物は、上野公園を訪れる人の目を引いている。どうしてこんな形をしているのだろうか?

関係者は「御料地だから」、つまり「天皇の所有地だったから」というが、この答えに満足する人はいないだろう。

私にいわせれば、答えは簡単だ。「上野公園の地下トンネルは、国会議事堂につながっているから」。そのことを暗に示すためにこんなデザインにしたのではないだろうか。

中村順平の「東京近郊」にある、国会議事堂から右上に延びるラインは、上野公園につながったはずだ。

東京の謎は地下が解明する、のだ。

70 新橋で早川と五島がぶつかった「地下鉄騒動」の真相とは?

1927(昭和2)年、わが国初の地下鉄が開通する。今の銀座線の東半分、浅草ー新橋間で、「地下鉄の父」といわれる早川徳次が率いる東京地下鉄道が建設した。

それから遅れること12年、1939(昭和14)年に東急を起こした剛腕、五島慶太の東京高速鉄道が建設した西半分、渋谷-新橋間が開通する。開通すると、すぐ五島は早川に、線路をつなぎ自社の車両を新橋から東に乗り入れることを要求した。

しかし、早川はそれを断った。12年も地下鉄を営業してきた早川のプライドもあっただろうが、受け入れる必要が早川の側にはなかったのだ。ここから「地下鉄騒動」といわれる大事件に発展する。

戦前に買収した会社だけでも40社を超える五島は、東京地下鉄道の株主から株を買収して乗っ取りをはかるが、手にした株はやっと50%程度。しかたなく鉄道省に働きかけて調停委員会を設置させて、早川を説得させるがこれも失敗。最終的には、五島の要求を丸のみした命令を鉄道省が出して決着した。

この騒動について私は、どうして早川と五島がぶつかったのが新橋駅だったのか?という疑問を抱いた。

早川は、もともと高輪を起点に浅草を終点とする地下鉄建設の認可を得ていた。しかし、まず開通させたのは終点の浅草から上野まで、そこからは営業利益を次の区間の建設費にかけるという方法で、7年かかってやっと新橋まで到達した。

次は新橋から高輪へ工事を進めるところだったが、すでに述べたように千住大橋と品川を一直線に結ぶ「街路」が前に立ちはだかった。
「街路」の上を走ること、交差することは許されなかった。だから、早川は12年間、何もできなかった。

早川が認可されていたのは新橋から品川へ進む今の都営浅草線のルートで、今の都営浅草線新橋駅の場所に新橋駅をつくっていたはずだ。しかし、五島の要求によって、早川は本来のルートから追われ、線路をねじ曲げられることになった。

こうして早川は新橋－高輪の地下鉄建設の権利を完全に失うことになる。その背景には当時「街路」建設を進めていた陸軍の姿が見えるが、鉄道省が五島の要求を受け入れる形で陸軍の強い意思に配慮したというのが、この騒動の真相ではないだろうか？

71 国会議事堂の地下には秘密の地下施設があった！

建築家、中村順平の「東京近郊」という地図にある国会議事堂からは、四方八方に延びる地下道があり、それは議事堂が建てられる以前からあったものだということは、すでに述べたとおりだ。

「大東京街路計画」がスタートすると、議事堂周辺の地下道も例外なく見直され、整理統合がなされただろうし、より地表から深いところに「街路」が建設されたはずだ。

私が調べたところでは、議事堂から西へ直線の「街路」が、今の京王線幡ヶ谷駅方向に延びていた、と思われる。

浄法寺朝美氏の『日本防空史』によれば、参謀本部が防空の研究を始めたのは、「大東京街路計画」がスタートしたのと同じ1927(昭和2)年だ。『防空都市研究』など、当時の書籍を読むと、「建築物と地下道の基礎を共有すると、双方とも強固なものになる」という記述が出てくる。

そこで、「街路」の上にどんな建物があるか、議事堂の少し手前から西へ「街路」を観察してみることにしよう。

終戦後、日本を占領した連合国軍の最高司令官マッカーサー元帥は、今の第一生命相互館の地下にいたとされている。この「街路」の起点は内務相官邸、八丁堀とここの3つの説があるが、少しでも資料の多いここを起点と考えることにする。

「街路」は、日比谷公園の西北の角をかすめている。ここには今、巨大な貯水タンクが埋まっているという。かつてここには地下拠点があったはずだが、戦後、壊すより水を入れたほうが簡単で、お金もかからないから、こうなったのだろうか。

その先は警視庁から国土交通省をかすめていく。警視庁は、かつて第一生命相互館のところにあり、「街路」がつくられたところに移転している。今国土交通省のあるところには、かつて内務相官邸が建っていた。

国会前庭和式庭園から日比谷高校に「街路」は進むが、日比谷高校も同じラインの日比谷公園西北角からここに移転してきた。

次は地下鉄赤坂見附駅、線路図の駅名が斜めになっていることと「街路」のラインが重なっていることから、私はここに戦前、地下鉄の駅があったと考えている。

赤坂離宮の地下には、かつて地下鉄のターミナルがあり、ここで北西方向に45度右に進路を変えると慶応大学病院で、「下水改良」工事として建設された地下道に合流する。

赤坂離宮からまっすぐ進むと、丸ノ内線新宿御苑駅だ。駅のホームが上りと下りでずれていることで知られている。私は、ここで議事堂からの「街路」と市ヶ谷からの「街路」がぶつかり、方向を変えたと考えている。

赤坂離宮から北北西に進路を取ると、神宮外苑にぶつかる。ここから絵画館、国立競技場方向に向かうと、「下水改良」工事としてつくられた地下道に合流する。

都営大江戸線・国立競技場前駅から同線の代々木駅、新宿駅を結ぶ直線は「街路」のルートだ。神宮外苑から西に日本青年館を抜けると明治神宮本殿があり、京王線幡ヶ谷駅に達する。

　こう見てくると、この街路にはかなり有名な建物がある。そして戦後、連合国軍は総司令部のあった第一生命相互館を起点に、この街路を移動に使っていたという。

　そして、このラインの日比谷公園、議事堂前庭、赤坂見附駅付近、神宮外苑を接収して、占領軍の施設を置いていた事実からだけでも、かつて国会議事堂下には「街路」があり、政府専用の地下道が走っていた、といえるのではないだろうか？

PART7

「帝都防衛」で拡大した地下要塞の謎

72 地下は地図も工事も、敵国だけでなく国民にも隠された！

爆撃機による空爆に備える防空対策として行なわれた事業は「街路建設」といった大規模なものばかりではなかった。

国民には身近な水道や井戸の工事も秘かに行なわれている。水道の防空工事は第一次世界大戦後に始まり、関東大震災後の「帝都復興」事業のひとつでもあった。

地下の浅いところにあった水道管は掘り起こされて、より深いところに埋め直された。限定された区域に限らず、隣の区域の水道管との連絡もはかられた、という。

丸の内では井戸連絡工事が行なわれた、と『日本防空史』に書かれている。すでに丸の内にはたくさんのビルが建っていたが、ビルにはなぜか井戸が残されていたらしい。その井戸をつなげて井戸水を供給する工事が「井戸連絡」と呼ばれた。

三井合名、正金銀行、日本銀行を結ぶものと、丸ビル、郵船ビル、三菱本社、八重洲ビル、中央郵便局、三菱銀行、明治生命ビルを結ぶものがあったという。しかし、防空上必要と認められて工事が行なわれたせいか、ルートの詳細は明らかではない。

ルートといえば、地図の改描も防空対策としてしだいに強まっていく。1928（昭和

3）年の地図には完成したばかりの淀橋浄水場がある。

ところが、その年に地図の改描についての法律ができると、1937（昭和12）年の地図から淀橋浄水場が消えて、跡地には針葉樹が広がる林に変わっている。

戦後の1947（昭和22）年の地図を見ると、何事もなかったかのように淀橋浄水場は復活している。地図を改描して、相手の目をくらますのも、ひとつの防空対策だったのだろう。

1928（昭和3）年に制定された「交通図調整要項」によると、ことごとく省略することになっている。それはもう地図とはいえないが、防空対策として陸軍は交通図、秘密図なるものをその後もつくりつづける。

終わるのは1945（昭和20）年。終戦後、陸軍によって戦前につくられた地図はすべて焼却されてしまうが、このころは地図も工事も、すべてが敵国ばかりでなく大多数の国民からも隠されていたのだ。

73 幻の「地下鉄新宿線」が完成していた数々の証拠を発見！

震災後の「帝都復興」計画で地下計画のベースになった建築家・中村順平のプランで、

東京市の中心は築地にあり、空襲時に天皇が宮城の地下から東京駅あるいは新宿駅に直行するための地下鉄の必要性が強調されていたことは、すでに述べた。

宮城（今の皇居）と東京駅のあいだに、「行幸通り」という当時としては画期的な、幅の広い道路が昭和の初めにつくられている。その地下には今、広大な駐車場があるが、かつてはここに宮城と東京駅を結ぶ地下道があったはずだ。

ただ、ここは地表からかなり浅いので、宮城と東京駅を結ぶ地下鉄はその下、今の東京地下駅、横須賀線と総武線の地下ホームがあるくらいの深さにあったのではないだろうか。それなら、この深さに戦後、地下ホームがつくられた理由が理解できる。

宮城と新宿駅を結ぶ地下鉄については、市の中心とされた築地を起点にした、宮城の下を秘かに通って新宿に向かう「地下鉄新宿線」がそれだと、私は考えている。

「地下鉄新宿線」のルートは、たびたび変更されており、確定したものは公表されていない。というか、公式には建設そのものがなかったこととされている。

しかし、噂されているルートをさぐると、「地下鉄新宿線」が完成していたことを示唆する材料がたくさん出てくる。

新宿から四谷までの区間は、都営新宿線と重なる靖国通り、丸ノ内線と重なる新宿通り、江戸時代の玉川上水の地下ルートと3つの説がある。玉川上水のルートは震災前にすでに地下道路があった。

靖国通りには「共同溝」がつくられていて、「街路」もあったらしい。新宿通りには国会議事堂下から新宿方面に延びる「街路」がつくられていたはずだ。

四谷から築地までの区間は、赤坂見附、溜池と外堀通りを経由して日比谷に出るルートと、今の首都高新宿線で桜田門から内堀通りを経由するコースなどがあったと思われる。いずれも今地下鉄が走っていて、どちらといえないが、可能性は充分にある。

赤坂見附付近の200ヤードのカーブ、銀座線が開通した後に赤坂見附駅の壁の向こう側はどうだったかなど、すでに拙著で詳しく述べている。私が話を聞いた地下の専門家のひとりから、「地下鉄新宿線はありました」という証言も得ている。

どのルートか、という話はおくとして、「地下鉄新宿線」は完成していた、と私は確信をもっていえる。銀座線より深い位置にある日比谷線銀座駅は、銀座線が開通したときすでに「地下鉄新宿線」ができていたことを示すものと、私は考えている。

74 帝都防衛の地下計画を描いた「内田プラン」とは?

東京を空爆に耐えられる「防空都市」にするために、それまでの地下道より深い位置に地下道をつくるのが「大東京街路計画」であった。

それまであった地下道の下にシールド機で新しい地下道をつくったとき、古い地下道はどうしたのだろうか？

江戸初期につくられた地下道の多くは、当時、人工的につくられた河川、「上水」の下につくられている。明治の「市区改正」でつくられた地下道は、江戸時代に埋め立てられた大手町、丸の内、日比谷、銀座、新橋にシールド機でつくられた。当然、地下道は海抜0メートル以下だ。

そして東京湾には砲台がつくられ、地下道がつくられた。いずれも軟弱な地盤の上にある。その下に新たな地下道をつくれば、古い地下道は土砂の重みに耐えられず、歪み、沈む。内務省が一貫して地下鉄の交差を認めなかったのは、そのためだったのだろう。

しかし、「大東京街路計画」を進めると、地下道の立体交差は避けられない。そこで、古い地下道を壊さない、安全な交差方法が求められた。これに応えられる建築家は、内田祥三をおいて他にいなかった。

耐震構造や鉄筋コンクリートに詳しく、都市計画もたくさん手がけていた内田は、東京の地下計画と思われる都市計画図を残している。それは満州の隣、晋北自治区の大同という都市のものとされているが、内田自ら、大同で実施されたものではない、としている。

大同都市計画案

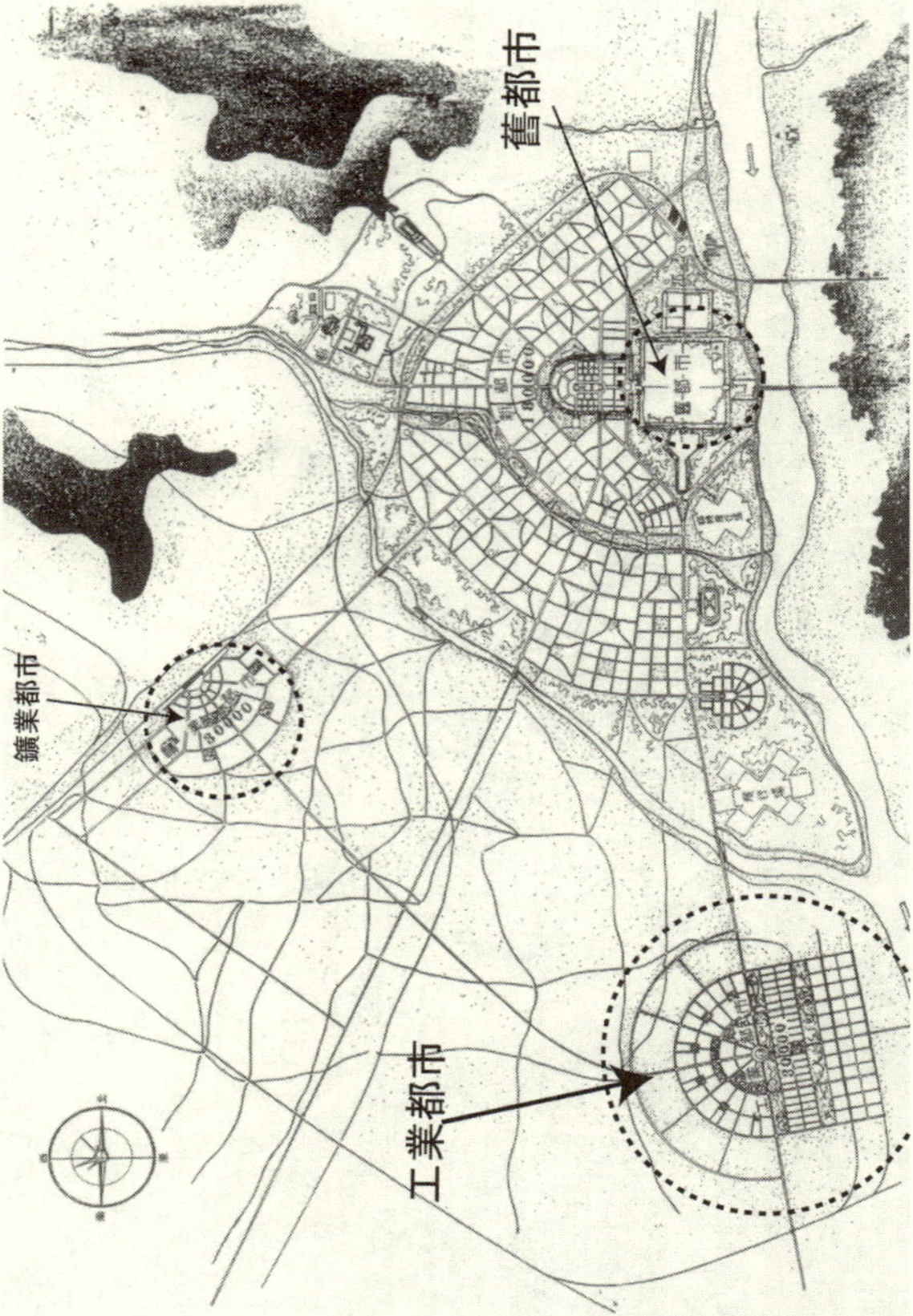

大同都市計画案　街路と交差点詳細図

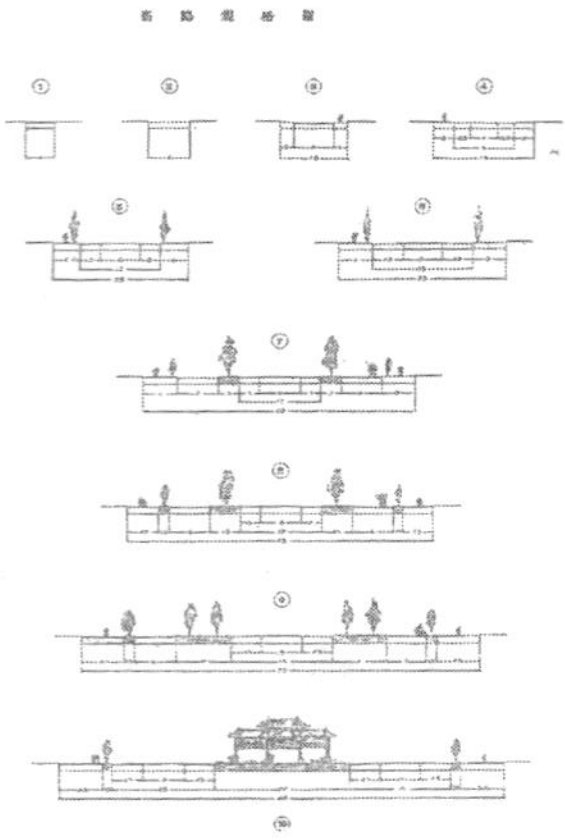

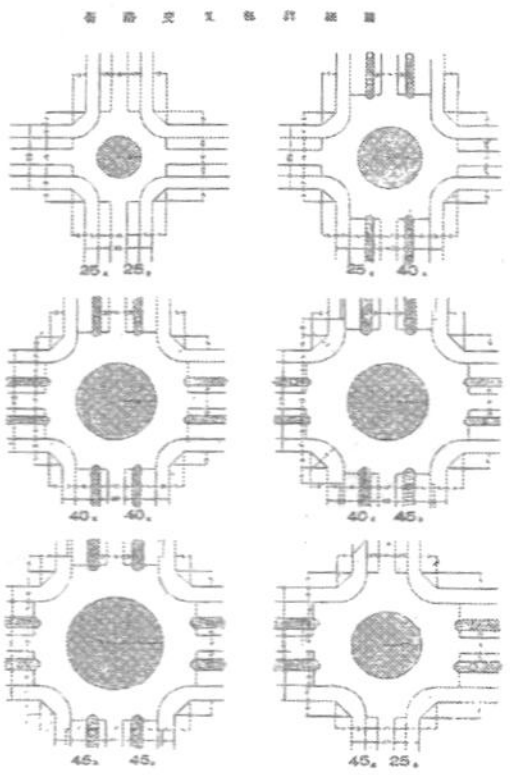

（『内田祥三先生作品集』より）

大同都市計画案の住居案

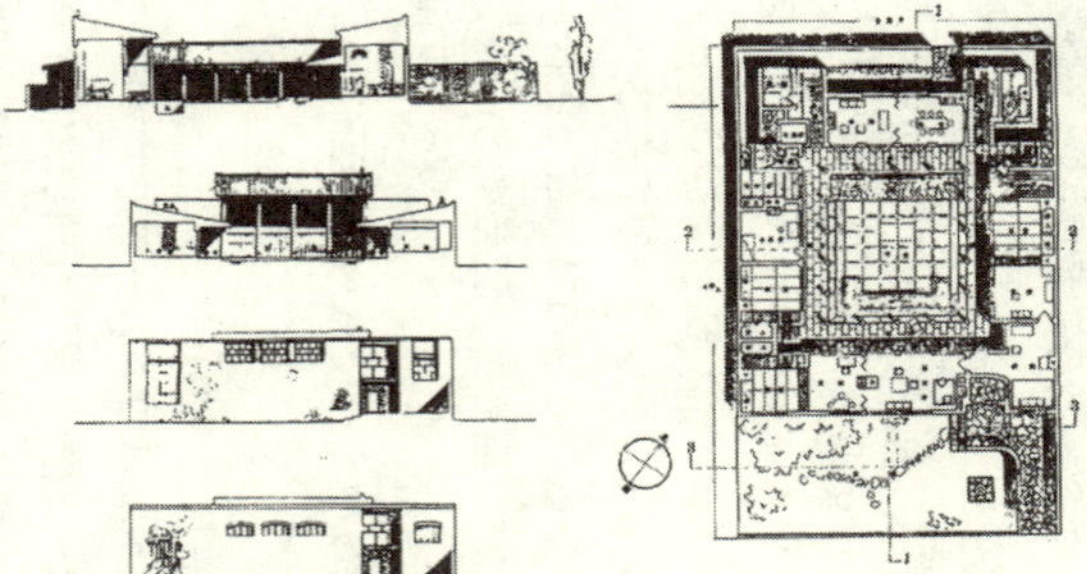

I級住宅

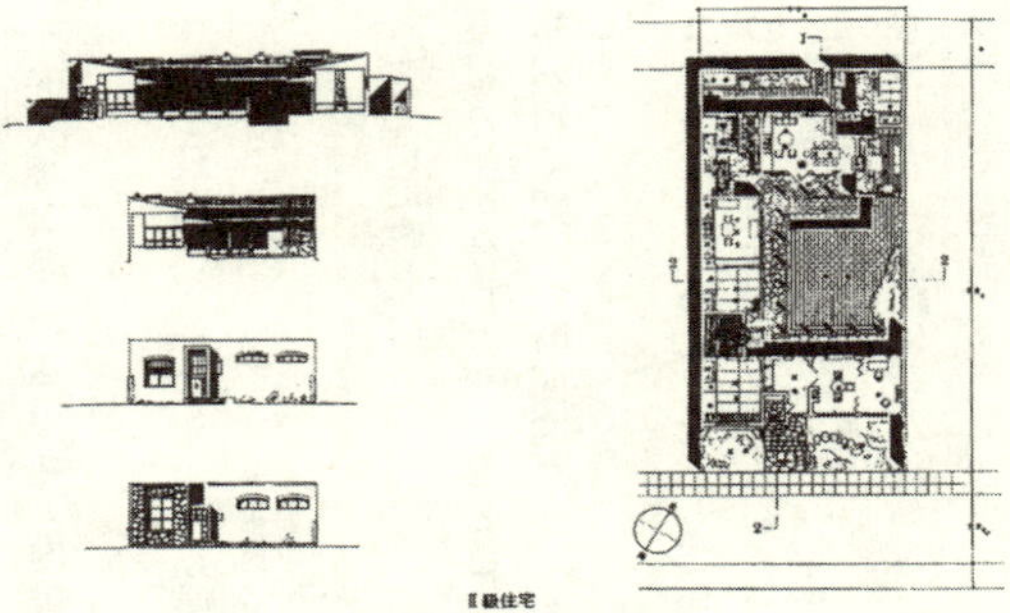

II級住宅

（『内田祥三先生作品集』より）

計画案を見ていただきたい。「舊《きゅう》都市」とあるのは、おそらく江戸城（当時の宮城）で、その左にある「工業都市」が国会議事堂だ。

とすると、議事堂から上に延びていくのが「地下鉄新宿線」、今、丸ノ内線が走っているルートだ。

途中、このラインを斜めに横切っているのが今の半蔵門線、その先の「鑛業都市」が四谷だ。図の右上に向かって延びているのが今の東西線。私は、「この図は帝都防衛の地下計画だ」と考えている。

次に、Ｉ級住宅の平面図と断面図（前ページ参照）を見ていただきたい。

平面図の1と1を結ぶ線で切ったのが、左いちばん上の断面図で、2と2を結ぶ線で切った断面図がその下にある。さらに、3と3を結ぶ線で切った断面図が2つある。この断面図は地下ルートの位置を示している、と思われる。

これらの図から、3と3を結ぶラインに地下ルートをつくることを示していると、推察される。街路と交差点の詳細図を見ると、街路の両側に平行して木がある。その木の下の太いラインが同じだ。これはその地下に交差する道路をつくることを示している。

戦前の都市計画図は、内田祥三のこのプランが最後だ。街路建設が終わると、しだいに戦時色が濃くなり、帝都防衛のための小さな改造がなされていく。

75 東京の地下には、謎の「正八角形」が隠れている！

内田祥三のまとめた「大同の都市計画」に描かれた都市の形は、クジラに似ていた。右手が頭、中央が胴体、左手が尾びれに見えないだろうか？　大同の計画案を方眼紙に写してみると、私には、そこに正八角形が隠れているように思われた。

クジラの目の辺りを中心とすると、大同駅がある白い丸が正八角形の頂点のひとつで、少なくとも3方向に地下道が走っている。

このクジラの形を今の丸の内、麹町、後楽園の地図に描いてみると、目もあり白い点もある。３本の地下道には地下鉄が走っている。

後楽園周辺の地図を見ると、地下鉄大江戸線がクジラの形を描いている。東京ドームがクジラの目にあたり、水道橋駅が大同の計画図にあった大同駅の白い丸だ。

当時の内務省の地図では、外濠がそんな形をしていた。外濠がつくられたのは江戸時代の初めだが、大正時代に東京高速鉄道が地下鉄の工事をしたときに、今の形に変えられたといわれている。

赤坂見附の弁慶濠は、今大きく永田町方向に食いこんでいるが、もともとはゆるやかなカーブを描いていた。

さらに調べると、東京には他にもクジラの形が見つかった。そこには、大同の計画図と同じ形、同じ大きさの八角形があった。大同の都市計画は東京の地下計画だと、私は確信している。それは、過去に築かれた正八角形を前提にしている。

中心と1辺の長さが決まれば、自由に八角形を描くことができる。これを上下左右に並べていくと八角形の網の目ができる。これが地下網計画のベースだ。ラインを東西南北の方角から外したり、地上の道路から外したりすれば簡単には見つからなくなる。

東京の地下鉄は、道路を外れるとほとんど必ず八角形を描いている。丸ノ内線の御茶ノ水、銀座、国会議事堂前、有楽町線の市ヶ谷、麹町、半蔵門線の神保町がそうだ。首都高の日本橋、新橋などもそうだ。

これだけたくさんあるということは、八角形を描いているところに、先に地下空間があった、地下鉄ができる前から地下空間があった、としか考えられない。

明治の「市区改正」では「位置」が大事にされた。公共機関や神社仏閣などの位置を決めておけば、あとは自由に八角形が描けるのだ。

つまり、地下網がつくれるわけだ。それがどこまで完成していたかは、本書を読んでいただけば、おわかりいただけるはずだ。

76 幻の「紀元2600年記念地下道」は実在していた!?

１９４０（昭和15）年、紀元２６００年を祝う行事が全国的に展開されるなかで、東京市は皇居周辺の整備を行なっている。

見逃せないのは、皇居前広場の造園や道路の改修などとともに広大な地下道を建設していることだ。事業予算の４分の３以上をこれにあて、延べ50万人を動員している。

幅19メートル、高さ4メートルという地下道を１・８キロ敷設するというもので、今の地下鉄千代田線霞ヶ関駅前交差点付近を起点にしている。

祝田通り沿いに日比谷公園のなかをまっすぐ進み、祝田橋の手前で大きなループを描き、祝田橋の下を通って皇居前広場に。そこから皇居大手門に達する。途中、東京駅前に通じる行幸通りの地下道が分岐している。

この地下道建設は１９３８（昭和13）年に始まり、１９４３（昭和18）年まで5年間続けられたが、なぜか完成することなく、打ち切りが決まったことになっている。

ところが、祝田橋でこの地下道のルートと直角に交差する地下鉄日比谷線の「建設史」には、こう書かれている。

「日比谷線は、（略）祝田橋において大下水渠の下をくぐる。この下水渠は、丸ノ内線霞ヶ関駅建設当時、霞ケ関駅付近で下受け工を施した経験があるもので、矩形型の鉄筋コンクリートつくりだ」

この大下水渠が「紀元２６００年記念」事業でつくられた地下道ではないだろうか？そうだとすると、丸ノ内線の話も日比谷線の話も納得がいく。公にできない地下道を「下水渠」と言い換えても何の不思議もない。

中途半端で終わった地下道を戦後、下水渠に再利用した可能性も高い。いずれにしても「紀元２６００年記念」の地下道は、完成していなかったかもしれないが、途中まではできていたと、考えられる。

この地下道についてはもうひとつ、おもしろい記述がある。１９３９（昭和14）年の『建築雑誌』７月号に、当時の建築界の重鎮、岸田日出刀氏はこう書いている。

「妄推することが許されるならば、この計画案には東京市の建築家も公園課も直接関係していないのではあるまいか」

東京市の事業に東京市のスタッフが参加していないわけはないはずだが、その意見が封じられるような力が働いていたことを示している。

暗にそれを示唆することで岸田氏は、この事業案を批判していると、私には思われる。

77 戦時体制下、赤坂見附駅につくられた秘密地下施設とは？

「1941(昭和16)年の秋に、ふたたびこの線に乗る機会があった。すでに来たるべき『日米戦争』が、子どもたちの耳にも聞こえていた。(中略)赤坂見附の駅で渋谷行は上のホームに発着する。ホームに降りて、何か異様な感じがした。線路の反対側が壁で仕切られ、その壁は、いずれも仮の設備というかたちだ。すぐに改札口を通らず、下の浅草行のホームに下りてみた。ここも同様だ」

和光大の原田勝正教授の著書『日本歴史』にある、臨場感あふれる文章だ。

ここに新宿と赤坂見附をつなぐ地下鉄の駅がつくられていたのか、「軍隊が使う防空壕ができる」という当時の噂が本当なのか、定かではない。しかし、戦後、丸ノ内線がつくられたときに、これを壊すのに1年もかかっている。

よほど強固なトンネルがつくられていたか、すべてを消さなければならない秘密の地下施設があったのか、いずれにしても、戦時体制が進むなかで東京の地下で重要な工事が行なわれていたことには違いない。

「営団地下鉄」が発足したのも同じ1941(昭和16)年だ。「地下鉄騒動」の後、早川の東京地下鉄道を吸収して、渋谷－浅草間に地下鉄を走らせていた五島慶太の東京高速鉄道も営団に吸収されている。

当時の鉄道省の大山秀雄監督局長は、衆議院で次のように述べている。

「結局、空襲時における交通を確保するものと致しましては、どうしても地下鉄によらなければならぬということが、交通の方面から考えられるのであります。（中略）ホームの一部なり、あるいは中二階なり、あるいはそれに付属したものを避難所に使うことができるのであります。

さらに進みまして、あるいは運転を休止にしてもよろしいような区間がありました場合においては、その収容力というものは、もっと大きくなると思います」

当時、ロンドンでは地下鉄を使った集団疎開のシミュレーションが行なわれ、イギリス政府は５日間で３００万人を避難させられると発表していた。

大山局長は、同様のことを政府が考えて営団をつくり、地下鉄を整備することを述べていた。

しかし、１９４２（昭和17）年、弁慶濠に鉄板１枚を打ちこんだだけで、地下鉄工事はストップ。東京大空襲のとき、政府は市民を地下に入れようとはしなかった。

なんのために「営団地下鉄」は設立されたのだろうか？　理解できない。

78 当時最大の国家機密だった皇居大本営の防空壕とは？

1938（昭和13）年、赤坂離宮防空壕がつくられたのを皮切りに、1940（昭和15）年には三宅坂に陸軍の防空壕、翌年には霞ヶ関に海軍の防空壕と、陸軍築城本部は次々と防空壕の建設を進めた。

宮城には1941（昭和16）年に「御文庫」と呼ばれる防空壕がつくられ、さらに「大本営会議室」という地下壕の建設が始まる。

「日米開戦の場合、大本営の重要会議には大元帥陛下がご臨席になるので、できれば宮城内の陛下のおそばに、大本営会議室を設けるのがよいと判断した東條英機陸相は、6月中旬、陸軍築城本部・野口正義中将を呼び、工事を命じた」

浄法寺朝美氏の著書『日本防空史』には、そう書かれている。

7月に着工、12月に完成の予定が東條陸相の命令で9月末日完成に変更され、延べ13万5000人という大量の兵力が動員された。

この工事は「戌号演習」と呼ばれ、24時間休みなし、3交代制の突貫工事で大本営会議室は9月末に完成した。

12月8日未明の日本軍による真珠湾攻撃で太平洋戦争は始まるが、大本営会議室の完成予定日を変更したとき、東條陸相は「年内開戦を考えられていたものであろう」と、浄法寺朝美氏は推察している。

完成した「大本営会議室」は地下にあった。壁の厚さ1・5メートル、擁護土層、サンドクッション、耐爆層など6層から成る重層構造であったという。

会議室は防空壕の中央にあり、広さは55平方メートル。高さ3・5メートルの天井には特殊鋼板が張られていた。機械室には、自家発電機、空気清浄機、冷暖房機、人力足ふみガス濾過装置などがそろっていたほか、通信室や水洗トイレがあり、地下道は四方に延びていたという。

その後、東京大空襲のさなか「1号演習」という補強工事が行なわれたが、広島、長崎に原爆が落とされたときには、当時大佐であった浄法寺氏が呼ばれて、上層部から「原爆に耐えられるか」との質問を受けている。

「壁は強固だが、原爆は想定しておらず、その熱や放射線を防げるかどうかわからない」と答えたそうだが、長崎の原爆投下から6日後の8月15日に日本は降伏し、原爆の被害を受けないまま終戦を迎える。

皇居大本営防空壕

平截面

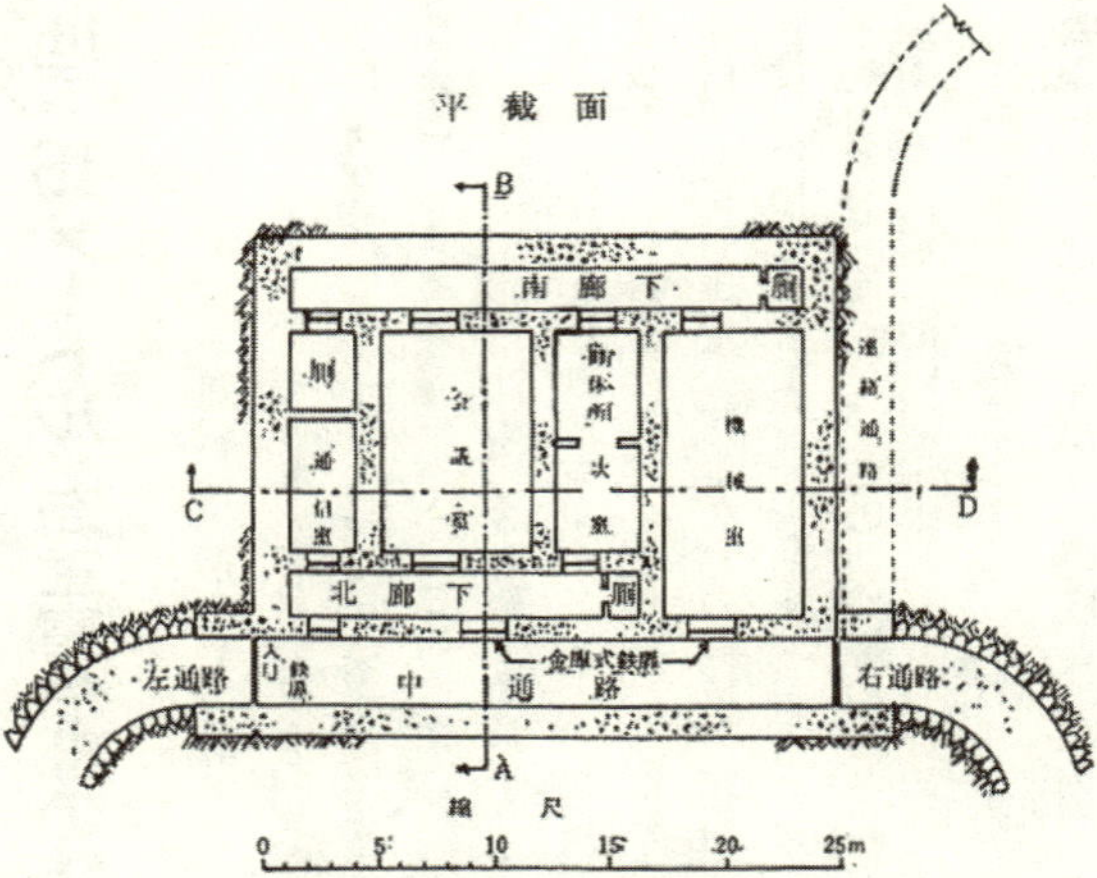

AB断面

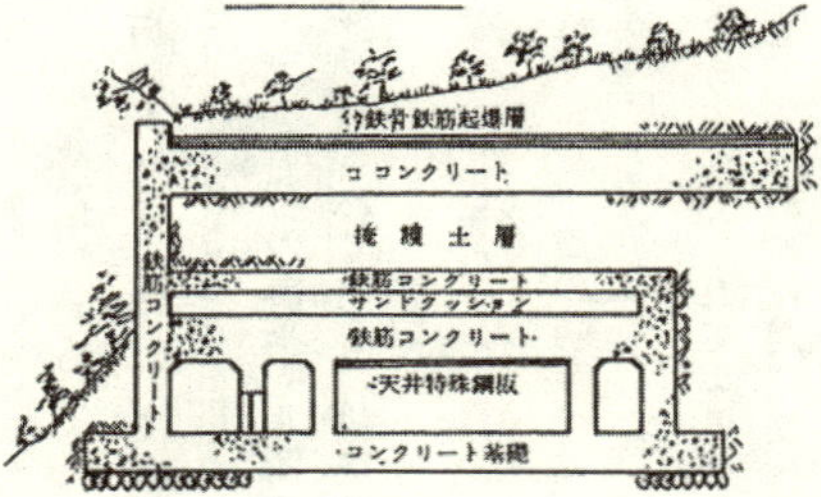

（『日本築城史』より）

79 地下18メートル、海軍軍令部の防空壕は戦後、地下鉄駅に！

地下鉄千代田線の霞ヶ関駅は、かつての海軍軍令部の防空壕を改築したものだ。「千代田線建設史」によると、その大きさは、タテ14メートル、ヨコ33メートル、高さ12メートル。広さは462平方メートルで、大本営防空壕のおよそ9倍、高さも3倍以上あった。『日本防空史』によると、この大きさの潜函（箱形の建築物）を、当時の海軍省北側の街路の地下18・1メートルに沈め、3階建ての地下防空室を設けたとされている。防空壕の上は厚さ1・5メートルの鉄筋コンクリートの耐爆層で覆っていた。

上の2つのフロアが事務室、会議室など実務をするスペースで、いちばん下のフロアに発電、通信、換気、排水、防毒などの機械や設備が備えられていた。この防空壕は、1940（昭和15）年10月に着工して1942（昭和17）年3月に完成している。

今の千代田線霞ヶ関駅は、この防空壕のへりにのっかるようにつくられている。防空壕の最上階、地下1階にホームがつくられ、防空壕の中階、地下2階が改札だ。改札よりホームが上にある地下駅は東京ではここだけ、全国的にも珍しい構造になっている。

ホームから地上に向かう上りの階段とエスカレーターがないのも珍しい。どうしてそう

千代田線霞ヶ関駅と海軍防空壕の関係

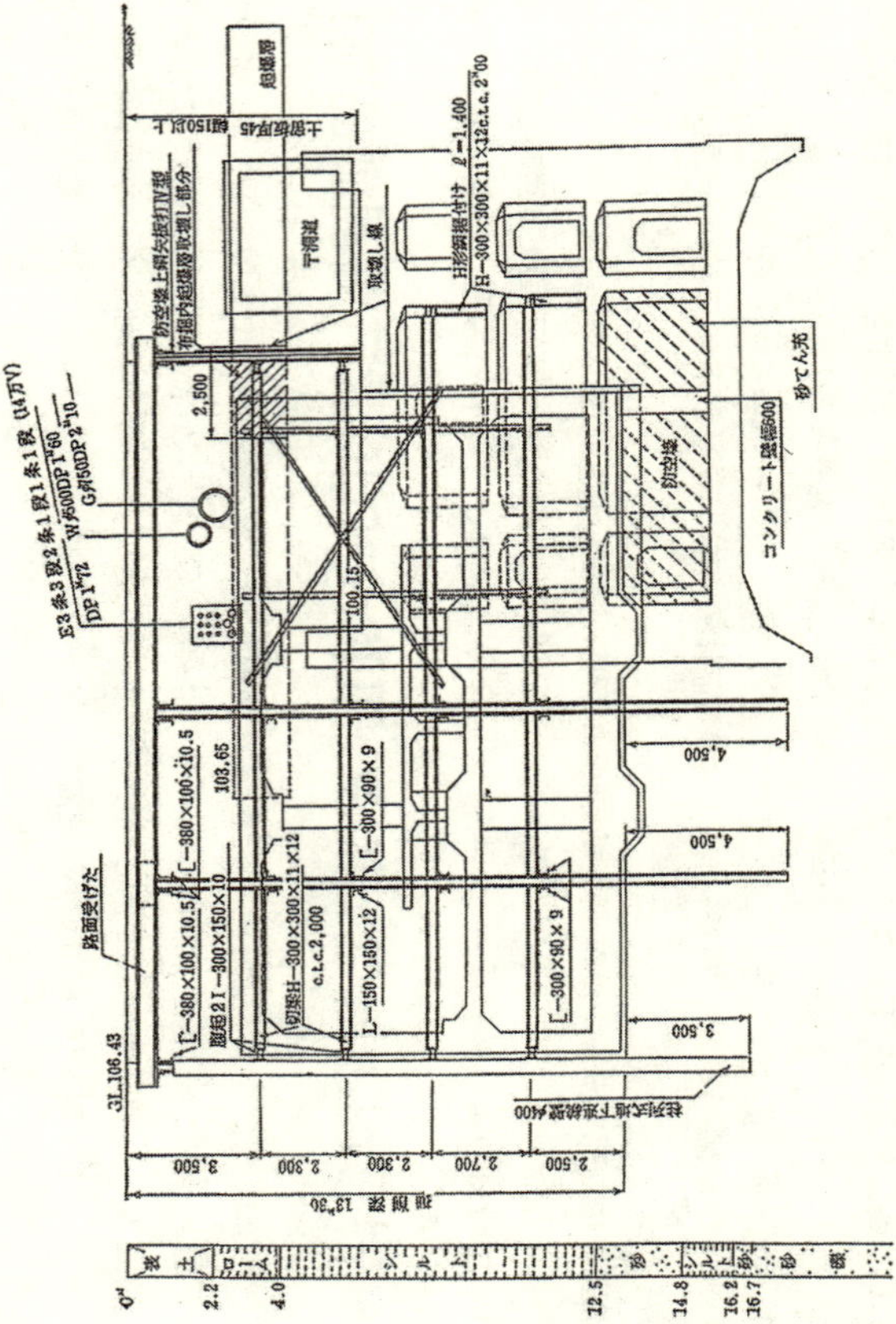

（『東京地下鉄道千代田線建設史』より）

なっているのか？ 駅の図面を見ると、駅の右側、地表に近いところに「洞道」がある。バッテリーを搭載したカートで郵便の集配をする「郵便洞道」という地下道だ。

霞ヶ関には当時、郵便洞道が張り巡らされていて、地下の郵便局もあった。この洞道を避けるために改札が下になったのではないだろうか？ ちなみに、防空壕の地下3階は使われておらず、砂が詰められ埋め戻されているようだ。

80 首相官邸裏に防空ビルと巨大防空壕が並んでいた！

海軍の防空壕が霞ヶ関にできてから2年、1944（昭和19）年、戦況がさらに悪化するなかで、首相官邸の裏側に地上3階、地下2階のかまぼこ型の防空建築ができた。

本土決戦に備えて、通信、電話の大本営、国防電話局（正式には東京中央電話局麹町分局）がここに移ってきた、という。

戦時中の当時としては異例の設備を備えた建物で、アメリカ軍による空襲が始まると、一般市民もここに避難してくるようになったとか。ところが、政府は「それでは仕事にならない」と、地下道と同様に市民を締め出すことを決め、市民を入れなかった。

東京の地下は、市民が利用できるものではなかったのだ。それなのに市民が納めた税金が湯水のごとく地下建設に使われていた。ビアード博士の指摘ではないが、それは許されることではないはずだが、当時の軍部によって国民は押し切られてしまった。

同じ1944（昭和19）年には、本土決戦に備えた官公庁の疎開、移転が相次いだ。当時、永田町にあった商工省がそっくり、国防電話局の南隣にあった東京鉱山監督局の防空壕に移転している。巨大官庁がまるごと入るのだから、よほど大きな防空壕だったのだろう。

その大きさは、今、地下鉄溜池山王駅に行けば体感できる。まず南側、銀座線の改札前広場に行けば、ターミナル駅のような大きな改札口を見ることができる。初めて訪れる観光客はあまりの大きさに驚いてしまう。

そこからジグザグの連絡通路を通って、北側の南北線のホームに足を延ばすと、かつての官庁の防空壕の巨大さと、ここに避難できなかった市民の思いを体感させられる。

81 民家が傾いて発覚した、巨大地下道の正体とは？

2003（平成15）年、東京都日野市で、民家が突然、大きく傾いて崩落寸前になる、という事件が起こった。幸いにも崩落は免れたが、そのとき地下から現われたのは、大型トラックがすれ違えるほど幅広い地下道だった。

近くを走る中央自動車道に負けない立派な道路に、集まった市民はもちろん、日野市の職員も驚いたらしい。調べてみると、その地下道はまっすぐ東西に日野市を横切っていた。これは、昭和の初めに建設されていた「街路」のようだ。

日野市役所は、この事件の後、「地下道があることは知っていたが、深いので崩落するとは思わなかった」とコメントしている。しかし、どんなに深いところにある地下道でも、コンクリートが老化して上にある土砂の重みに耐えられなくなることはありうる。

まして地震が多かったり、もともとの地盤が脆弱だったりすれば崩落の確率は高まる。1990(平成2)年、JR御徒町駅近くで起こった道路陥没事故は有名だが、地下道があれば常に警戒を怠ってはいけない。

だが、地下道は国家機密だった。どこに、どれくらいの深さに、どのような地下道があるのか、限られた人間しか知らされていない。警戒しようにも何もできないのが現実だった。地下道のメンテナンスは考えられていなかったのだ。

たとえば、1979(昭和54)年に建設省が調査したところによれば、三多摩では4つの防空壕が見つかっている。そのなかに690メートルという長いトンネルがあった。『日本防空史』で確認すると、そこには、かつて立川航空工廠の地下工場があったという。「東西3本、南北3本、土被り最少5メートル、幅5メートル、高さ3メートルのかまぼこ型で、延長１０００メートルまで掘削したが、完成に至らず終戦になった」

建設省の調べとは長さが違うが、できていたのは７割ぐらいということなのだろう。こうした地下道は、東京の地下に今もひっそりと存在しているのだろうか。

82 戦況の悪化で三多摩地方に軍関係の地下開発が拡大!

「立川航空工廠地下工場」の存在が明るみに出たが、陸軍築城本部は、三多摩、山梨県を越えて長野県松代に移転し、東京市内から三多摩への軍需工場の移転も戦況の悪化とともに拍車がかかった。

東京高速鉄道を起こし、東京の地下鉄に大きな足跡を残している五島慶太は、１９４４（昭和19）年に東条英機首相から直々に運輸通信大臣を任命されている。東京への空襲が時間の問題となっていたことから地下鉄による防空、退避対策を五島に求めたに違いない。

五島は、初めにトンネルと橋の建設を担当する特設建設隊と、鉄道・線路を建設する特設工務隊を組織。次いで、地下建設本部を立ち上げている。地下建設本部の任務は、市内の公共施設の地下化と退避ルートの確保にあったのではないだろうか。

退避ルートは、江戸時代も明治時代もそうだったが、このときも新宿から中央線で西へ向かうルートだった。五島は敷設プランをつくったあと退官して、三多摩のすぐ隣、神奈川県相模原に「相模野臨時建設部」を立ち上げ、陣頭指揮を執っている。

陸軍はその後、大本営を移転させるための土地、43万3500平方メートルを、今の高尾町から八王子市にかかるところに買い上げ、地下建設本部に命じて1945（昭和20）年2月に完成させている。もちろん地下施設だ。

このころにつくられた軍需工場はすべて地下工場だったが、中島飛行機の工場も八王子市浅川の地下につくられている。総面積2万4000平方メートルという巨大な地下工場は、終戦とともになくなったが、トンネルは今も残っているという。

戦後、東京のベッドタウンとして発展する三多摩だが、終戦直前には軍の施設や軍需工場が次々と移転、新設されて、地下工場や防空壕など地下開発が一気に進んだ。それは、地上より地下が優先され、都市計画より防衛計画が常に先行する江戸、東京が三多摩に拡大したことを示していると、私には思えてならない。

振り返れば、1906（明治39）年に陸軍が立川に航空部をつくったころから、東京の地下を支配する陸軍はもとより、鉄道建設に関わる企業も、新宿の先に高尾・浅川－八王子を考えていたようにも思われる。

1920（大正9）年に「地下鉄新宿線」の認可が下り、五島が西武軌道の建設を新宿で始めたとき、三井物産は高尾・浅川－八王子に鉄道を敷設するため武蔵中央電気鉄道を起こしている。新宿から高尾、八王子に線路を延ばしたのは利光鶴松の京王帝都だ。

83 東京の地下鉄はなぜ、東京大空襲で市民を救えなかったのか?

「夜空から焼夷弾が雨のように降った。最初に火の手が上がったのは深川だった。布きれに火のついた焼夷弾で、まさに火の豪雨であった。同時に焼夷弾の直撃で死亡した人、手首・足首に落ちて火傷した人、顔半面を火傷した人、爆弾が爆発し、その爆風で死んだ人、弾片で死傷した人がかなり出た。家は紙を燃やすようであった」

『日本防空史』からの引用だ。

1945(昭和20)年3月10日の東京大空襲について書いている部分だが、その凄惨なありさまは数多く語られているので、あえてくりかえすことはしない。しかし、そのとき、東京の地下は、本来の目的である「防空」に役立ったのだろうか?

フランスの建築家、コルビュジエは、空襲から国民が逃れる手段として地下3層の地下鉄の建設を提案していた。しかし、わが国では地下鉄建設の申請は数多く出されたが、東京の市民が利用できたのは、今の銀座線だけだった。

その銀座線も、250キロ爆弾が投下されればひとたまりもなく破壊され、その地下トンネルを爆風が走るとされていた。だからこそ、陸軍は早川や五島に地表に近い地下道を払い下げたのだった。だから、東京大空襲のとき銀座線に避難することはできなかった。国をあげて秘かにつくられた地下道、地下鉄もあったはずだが、首相官邸裏の防空壕と同様、殺到する市民に対して地下の扉は開けられることはなかった。もし扉を開けていれば、12万5000人といわれる死傷者の数を減らすことができたかもしれない。

こんな話がある。鉄道省をはじめとする官公庁の職員が、上野公園の地下にあった京成電車の車両をホテルがわりにして寝泊りしていた、という。今なら、市民からクレームが殺到して、公務員のモラルが問われるところだが、当時は何も起こらなかった。

大空襲のときも東京の地下は、市民の生命を守るのには役立っていなかったようだ。

84 戦前につくられた地下鉄は銀座線だけではなかった!?

東京は度重なる空襲で焼け野原になった。関東大震災からわずか22年後のことだ。地上は再び破壊された。しかし、地下には22年前と同様に、前の時代の「遺産」が埋まっていた。戦後、私たちはそれを破壊せず、それをベースに首都建設を始める。

1945(昭和20)年、東京にはおそらく、今とほぼ同じだけの地下鉄が走っていたと、私は考えている。そして、さらに広い地域に、総延長が見当もつかないほどの地下道が東京に張り巡らされていた、と思われる。

2002(平成14)年現在、国民に伏せられた地下道は500キロを軽々突破していたが、1945(昭和20)年当時は、それ以上あったかもしれない。しかし、わが国では戦後も長く、それは荒唐無稽なことだとされてきた。

戦後の政府は、東京の地下の真実を伏せたまま、ひたすら過去の地下道や地下施設のリサイクル、リユース、リフォームに莫大な人とカネをかけてきた。地下鉄建設を進めたのも、地下に高速道路を走らせたのもそうであり、「街路」建設は戦後も行なわれた。

その結果、地下鉄に乗っていて、高速道路に車を走らせていて、私たちは不思議なものを目にする。なぜそうなのか、すぐには理解できないことばかりだ。私は、それを追いかけはじめて、とうとう400年も昔の「天下普請」にまでさかのぼった。

東京の地下の謎は、過去に、少なくとも1945年以前にさかのぼらなければ、解き明かせない。たとえば、丸ノ内線赤坂見附駅と四ツ谷駅のあいだにある半径200ヤードのカーブもそうだ。

半径「182メートル88センチ1ミリ」のカーブがなぜ、半径400メートルのカーブと半径200メートルのカーブのあいだに挟まれてあるのか？　丸ノ内線が戦後つくられたものと考えていると、謎は解けない。

それが200ヤードのカーブであり、明治、大正のころ鉄道建設にはメートル法でなくヤード法が使われていたことがわかって、初めてその部分だけが明治、大正のころつくられたものであることが理解できる。

そして、戦前に走っていた地下鉄は、渋谷－浅草を走る、今の銀座線だけだと、誰もが思っているけれど、地下鉄が走る地下トンネルは銀座線のルート以外にもあったことになる。ということは、銀座線以外にも地下鉄があったかもしれない、と考えられる。

このように東京の地下の謎を、過去にさかのぼって解き明かす作業をくりかえして、私は、1945年に、今と同じくらいの規模の地下鉄が走っていて、今以上の地下道が東京にあった、と思っているのだ。

次のPART8で紹介する「GHQがつくった地図」には、私の仮説を証明するように、1945年にあった地下鉄や地下道のいくつかが描かれている。

PART8

戦後もなお残る大東京の地下の謎

85 終戦後、営団地下鉄だけが残された理由は？

終戦後、日本の軍隊は占領軍によって解体され、戦時体制は解かれた。戦時下に政府・軍部によってつくられた住宅営団や食糧営団など、「営団」と呼ばれる組織も解体された。日本から軍事色を一掃するのが占領軍の政策で、戦争放棄を謳《うた》った「日本国憲法」は、まさに占領政策の根幹をなすものであった。

「帝都高速度交通営団」も、空襲を受けたときの交通手段を確保するという目的で戦時下に組織されたものだから、当然、解体の対象になっていたはずだ。しかし、なぜか組織も、いかにも古めかしい名称も存続することになる。

『都営地下鉄建設史』によると、占領軍で、その存廃が調査の対象になったのを機に、衆議院で「地下鉄都営」にするための法律案を各派共同で作成し、国会に提出することを決めていた。ところが、この法案は上程されず、闇に葬られたのだ。

上程されなかった理由については、「運輸大臣の哀願により」としか書かれていない。しかし、大臣ひとりが泣いて頼んだとしても、国民の代表である国会議員の集まる衆議院への上程が見送られるだろうか？　大きな疑問が残る。

泣き落としが成功したのには裏があるはずだが、本当の理由は戦前の政府、軍部と同様、誰も明らかにしていない。ここからは私の仮説だが、営団の存続を決めたのは、政府ではなく占領軍ではないだろうか。

「地下を支配するものが地上を支配する」という近代国家の鉄則を彼らは知っていたはずだ。占領軍は、東京のさまざまな施設や建物とともに地下を接収した。が、占領軍はこれまで東京の地下を支配してきた「天下人」とは違っていた。

1945年に存在した地下道、地下施設のうち軍事的に利用されていたものはすべて接収するが、市民のためにつくられ、市民が利用していた地下鉄は、その対象から外したのではないだろうか？　占領軍はビアード博士の言葉を体現してみせたのかもしれない。

新しい地下鉄の建設について議論も報告も必要がなく、担当大臣の決断がすべて、政府が建設を決めればできるしくみにも、占領軍は手をつけなかった。

86 GHQ作成の地図で浮かび上がった「戦前の地下道網」

GHQ（連合国軍総司令部）は、東京の隠された地下の秘密を暴こうとしたのか、作成した東京の地図を見ると、実にはっきりと戦前の地下鉄の路線が浮かび上がってくる。

たとえば、1948(昭和23)年に作成された地図がある。占領史の研究をしている福島鋳郎氏がニューヨークで見つけた「CENTRAL　TOKYO」というタイトルの地図だ。そこに新宿・四谷の部分がある。道路には「ST」(ストリート)と「AVE」(アベニュー)という文字が書かれている。

赤坂離宮の北、外堀通りから西へ、「MEIJI　ST」が延びている。今の地図と照合すると、少し南に下った後、外苑東通りを横切り、絵画館を迂回する道路に入る。絵画館の裏辺りで道路をはずれて、JR千駄ヶ谷駅前をかすめて西新宿へ向かっている。見るからにクネクネとしていて、道路から道路へ渡っていくようだ。

このルートがなぜ「MEIJI　ST」なのだろう？　震災後につくられた「明治通り」のルートとはまったく違っているから、これは、地下を描いている、と考えられる。

絵画館の迂回道路は、第一次世界大戦のさなか内務大臣だった原敬が整備した道路で、帝都復興事業では、四谷から西新宿に向かう補助五七号線がこの道路を経由することになっていた。

国土交通省がまとめた『道路現況調査』(2002)を見ると、こうある。

「特例都道四一四　四谷角筈線　起点　新宿区四谷二丁目　終点　新宿区西新宿一丁目
距離　五、八七五M」

この都道四一四は道幅の平均が30メートルを超えている。しかし、ルートにある地上の道路の道幅はせいぜい20メートル。都道四一四は地下道ということになる。

都道四一四と「MEIJI　ST」、起点と終点がほぼ合致していることから、私は、GHQの地図にある「MEIJI　ST」は都道四一四に間違いないと思っている。

その他、この地図にある「MINISTRY　AVE」は都営地下鉄新宿線、「AVE〝K〟」は地下鉄丸ノ内線、「AVE〝H〟」は首都高・新宿御苑トンネルに合致している。

それだけではない。「10TH　ST」は地下鉄南北線であり、「15TH　ST」は都営地下鉄大江戸線であり、「30TH　ST」は開業したばかりの地下鉄副都心線なのだ。

この地図が作成されたのは、1948（昭和23）年だから、これらの地下道は戦前につくられ、戦争が終わった1945年に存在したことを示している。

GHQは東京の地下をここまで調べあげていたのだが、なぜか日本国内に同様の資料は見つかっていないのだ。

87 GHQの「インテリジェント・レポート」が明かした地下の謎

コード番号AMS-L874、『インテリジェント・レポート』は、1953（昭和28）

年にGHQによって作成されたものだが、アメリカでも長く極秘扱いされていて、50年すぎてやっと公開されたものだ。

タイトルにあるように、これは占領軍による諜報報告だ。ここに収められた地図は、それまでGHQがつくってきた地図の集大成といえるもので、航空撮影したものをもとに詳細な情報が書きこまれている。

地下建築のある場所、地下鉄や地下道のルートは白い色で描かれているようだが、地下鉄や地下道のルートは正確ではない。たとえば2点を結ぶ地下ルートが直線であるのに、この地図では地上の道路に沿って描かれている。

GHQは、東京の地下の全貌を知っていて、あえてそうしたのかどうかはわからないが、「首都防衛」の観点から全貌を描くことを避けたのかもしれない。そんな地図でも私は、たくさんの発見をしている。

たとえば、この地図の桜田門付近を見ると、西側には路上電車が走り、東側には鉄道が走っていて、桜田門付近でつながっている。線路幅が同じようだから、西から来た路上電車はここから鉄道に変わるのだろうか?

東側の鉄道は、桜田門で左折して虎ノ門方向に向かっている。これは、かつて後藤新平が計画していた虎ノ門－竹橋の地下鉄のルートに重なる。私は、これを見て、後藤新平の地下鉄計画は実現されていた、と確信した。

後藤の地下鉄は地下を走る路上電車、「市電地下鉄」だったはず。線路幅も広軌と狭軌の中間の線路幅だった。

それなら西側の路上電車と線路をつなげることもできたはずだ。かつて東京では、路上電車が地下も走っていたのだろうか？

88 地下鉄丸ノ内線は戦前につくられ、戦後に開業した!?

地下鉄丸ノ内線の建設が始まったのは1951（昭和26）年だ。今の東池袋の市街地に幕が張られ起工式が行なわれた、という。しかし、丸ノ内線は起工式が行なわれるよりもずっと前、戦前につくられていた可能性が高い。

本書でもくりかえし述べてきたが、今東京の地下を走る地下鉄の路線網に負けないくらいの地下鉄が戦前につくられていた、と私は思っている。丸ノ内線も、ほとんどは戦前につくられたに違いないのだ。

その理由の第一は、丸ノ内線が道路の下でなく市街地の住宅の下や学校の下を走っていたからだ。

たとえば、東池袋では今「六〇階通り」という道路の下を丸ノ内線が走っている。しかし、この道路はサンシャイン60という高層ビルが建った1978（昭和53）年にできた道路で、開業から27年も経って道路の下を走るようになった。

名門中学が移転して道路に変わったところもある。今でも池袋－御茶ノ水間では、まるで春日通りを避けるように丸ノ内線は走っている。

本郷三丁目駅は本郷台中学校のグラウンドの下にあり、後楽園駅では地上から見上げる線路の上だ。茗荷谷駅付近では住宅地のへりを通り、春日通りを横切って新大塚までは市街地の下を走っている。

戦後、一から建設を始めるとしたら、こんなルートに地下鉄を建設するわけがない、できるだけ道路、私道でなく公道の地下を選ぶはずだ。ただでさえ莫大なコストがかかる地下鉄建設だから、地上の地主に多額の補償金を払う市街地は避けたいはずだ。

丸ノ内線には、どう見ても、すでにそこにあった地下トンネルをつなぐようにルートを決めた、としか思えないところが多いのだ。たとえば、こんなこともある。

当初、御茶ノ水からＪＲ神田駅の下を通って東京駅地下に、というルートが計画され、今の御茶ノ水駅がつくられたのだが、その後に大きくカーブして淡路町に向かうルートに変更されている。なぜ変更されたのか、理由は明らかにされていない。

GHQが作成した地図を見ると、今のJR東京駅–神田駅間には、TOKYO SUBWAY RAILROAD（東京地下鉄道）とある。ここには、かつて極秘の地下鉄が走っていたことを示すものだ。それが露見するのを恐れてルートが変更されたのかもしれない。

東京駅を出ると丸ノ内線はなぜかJR有楽町駅をかすめるように山手線の外側に出る。ここのトンネルも、すでに述べたようにJR有楽町駅ができる前からあったと思われる。銀座駅付近の地下にはかつて大きな地下拠点があったらしい。

日比谷公園は大正時代に地下鉄の起点が計画された場所であり、霞ケ関から国会議事堂前、赤坂見附駅まで国会議事堂周辺には、かつて地下道が張り巡らされていた。新宿–四谷を通って築地まで「地下鉄新宿線」もつくられていたはずだ。

こう見てくると、丸ノ内線はかなりの部分が戦前にできていた、と思われるのだ。

89 地下鉄トンネルの壁と柱が〝隠されてきた真実〟を明かす！

新宿から西も戦前にできていたことを感じさせるところがたくさんある。西新宿駅についてはすでに述べたが、その先、中野坂上駅で荻窪に向かう本線に乗って、車窓からトンネルのなかを一度じっくり眺めてみていただきたい。

　中野坂上駅を境にガラリとトンネルの様子が変わることに気づくはずだ。中野坂上までは、暗くて、薄茶色の壁と柱が立っているのがやっと見える、という感じだ。しかし、中野坂上を出るとトンネルは明るくなり、柱が上下線２つの線路のあいだに立っている。まるっきりつくり方が違うのだ。別の会社がつくったに違いない。そう思って、ＧＨＱの「インテリジェント・レポート」を見ると、やはりそうだった。

　中野坂上より西には「ＴＯＫＹＯ　ＳＵＢＷＡＹ　ＲＡＩＬＲＯＡＤ」とあり、東には「ＳＡＩＢＵ　ＳＨＩＮＪＵＫＵ　ＬＩＮＥ」とあった。「ＴＯＫＹＯ　ＳＵＢＷＡＹ　ＲＡＩＬＲＯＡＤ」は早川徳次の東京地下鉄道のことであり、「ＳＡＩＢＵ　ＳＨＩＮＪＵＫＵ　ＬＩＮＥ」は五島慶太の西武新宿線＝西武鉄道だ。

　五島はここに西武軌道という地下鉄を建設していた。早川は新宿を起点にした地下鉄の認可を申請して後に取り下げている。

　ＧＨＱの地図は、早川が中野坂上から西にトンネル工事を進めていたことを教えてくれている。トンネルが違う理由はここにあった。

　このようにトンネルの壁や柱の様子から、戦前につくられたものとわかった経験は他にもある。たとえば、南北線後楽園駅と東大前駅のあいだにある空洞を後で埋めたような壁。補強のためか何かを隠すためか、わからないが、戦前につくられた壁が埋められている。

かつての秘密を隠そうとしても、トンネルの壁や柱に現われるのだ。

日比谷線中目黒駅を出てすぐのところ、都営浅草線西馬込駅の手前もそうだ。地下鉄に乗ったとき、試しに車窓からトンネルを眺めてみてほしい。おもしろい発見がきっとあるに違いない。

90 大正時代に計画されて戦後に開通した都営浅草線の謎

帝都高速度交通営団（略して営団）は戦後、民間資本が排除されて東京都と国鉄（今のＪＲ）が株主となって再スタートする。

民間資本を入れていないのなら住宅公団のように「公団」にすべきとの意見もあったが、日本政府も営団の名を変えなかった。

結果、営団は戦前に得ていた認可をそのまま戦後も保持し、地下鉄建設を進めるのだが、どれだけの認可を持っていたのかは、わかっていない。

東京市が計画し、建設を進めていて、少なくとも線路の敷設までは終わっていたと思われる路線の認可の行方もわからない。

そんななかで、１９５４（昭和29）年、東京都議会は次のような、よくわからない決議をしている。

「現在都内における地下高速鉄道事業は専ら帝都高速度交通営団に委ねられているが、その建設事業は遅々として進展せず、人口増加と自動車の激増のため都内の路面交通はまさに危機に瀕し、遠からず都民生活に重大なる影響を及ぼすことは必至であり、もはやこれ以上、都民は黙視することはできない。よって、都は直接これが建設に力を傾倒し、速やかに都内地下高速鉄道交通網の完成を期すべきだ。右、決議する」

「そう思うなら、株主として出資している営団に地下鉄の建設を求めればいいはずで、東京都は別個に都営地下鉄の建設をする理由がわからない。筋が違う」という声が出てきそうな決議だ。ここで思い出していただきたい。

東京の地下鉄建設は、担当する大臣の権限すなわち国家の力が絶対であった。東京市には如何《いかん》ともしがたいことであった。それが戦後も変わらず維持されていた。だから、株主でも東京都にはまったく発言権がなかったのだ。

そこで東京都は都営地下鉄の建設を計画し、都営浅草線が全線開通したのは1968(昭和43)年のことだ。そのコースを見て私は驚いた。

40年以上も前に東京市が建設を計画していた第一線と第二線を日本橋でつないだルートにほぼ重なっている。

地下鉄建設の認可は戦後も生きていたのだ。そのルートにはきっと戦前につくられたトンネルがあったに違いない。

しかし、都営浅草線は黒字になるまでに、それからなんと50年を要している。それまでして地下鉄を走らせたかった東京都の所業に言葉がない。

91 首都高「パニックポイント」に隠された国家機密

国会議事堂のそばにある国会図書館が完成したのは1961(昭和36)年のことだ。国会図書館は、終戦直後、赤坂離宮のなかにあったが、その後、三宅坂に移り、この年、今のところに新築された。

いずれも首都高・新宿線の近くで、赤坂離宮のときは首都高のトンネルの上にあり、三宅坂のときは首都高・新宿線の起点の近くだった。今は「パニックポイント」といわれる左カーブのすぐそばにある。国会図書館と首都高の縁は深いものがある。

ところで、今の国会図書館の工事にあたって地質調査が行なわれている。それによると、地下40メートル付近に強固な岩盤があり、ここに建物の底を載せれば地震などで揺れても大丈夫だというのだ。

国会図書館だけでなく、近くにある千代田線国会議事堂前駅も半蔵門線永田町駅も、この岩盤の上に建物の底を載せるように建てられている。

そういえば、『国会図書館三十年史』によると、第一期工事終了後のフロアの数や面積を記したところに、地階の下に第三層、第二層、第一層と呼ばれるところがあり、「既設」となっていた。各層の面積は2000平方メートル以上もある。どういうことなのか？

ここには1936（昭和11）年に外務省がドイツ大使館のために建てた地下5階の防空壕があった。その一部だろうかと思ったが、1993（平成5）年に地下8階の国会図書館の新館が完成し、地下5階以下は書庫とされているのを知って、こちらかとも思われる。

それはおくとして、国会図書館の工事を行なった大成建設は、同時に行なわれた丸ノ内線霞ヶ関―国会議事堂前間の工事も、翌年に着工した憲政記念館の工事も、さらに衆参議長公邸、赤坂離宮、迎賓館の工事も行なっている。

この時期に同社は、首都高三宅坂インターチェンジの建設も行なっている。1社が集中的に国会図書館周辺の公共工事を受注することは誰が見ても「異例」だ。なぜだろうか？

この疑問も、戦前にさかのぼると解けた。

大成建設の前身、大倉組は渋谷―新橋間の地下鉄を建設した東京高速鉄道を起こし、新宿と築地を結ぶ「地下鉄新宿線」の建設認可を持っていた。

「地下鉄新宿線」の建設が戦前かなり進んでいたと思われるので、「既設」の「地下鉄新宿線」を首都高新宿線にリフォームする、という重大な任務が同社に課されたのではないだろうか？　この工事にふさわしい業者は他にはいないはずだ。

こんなふうに戦後、東京の地下の国家機密は次々と消され、知る方法が失われていった。

92 「1-8計画」で消したかった東京の地下の秘密とは？

帝都高速度交通営団（今の東京メトロ）が地下鉄千代田線の認可を取得したのは、1966（昭和41）年。その認可には、路線のルートを示した建設大臣の命令書がついていた。これを受けて営団が設計書を提出して正式認可となったのが、1968（昭和43）年のことだ。

1966年の命令書には、次の3つのルートが書かれていた。

①丸の内1丁目8番地先から有楽町2丁目2番地の先まで。一般国道1号線1198メートル。

②有楽町2丁目2番地の先から日比谷公園まで。都道第409号線493メートル。

③日比谷公園から内幸町2丁目22まで。特別区道272メートル。

正式認可された1968年の命令書には、次の7つのルートが書かれていた。

①丸の内1丁目8番地先から有楽町2丁目2番地の先まで。一般国道1号　1198メートル。
②丸の内1丁目20番地先　都道404号　4・8メートル。
③馬場先濠地先　都道404号　19・8メートル。
④馬場先濠（馬場先門）地先　都道406号　22・5メートル。
⑤丸の内3丁目15番地先　都道406号　23メートル。
⑥有楽町2丁目2番地の先から日比谷公園まで。都道409号　516メートル。
⑦日比谷公園から内幸町2丁目22まで。特別区道線第58－2　270メートル。

先の命令に新たに4カ所が加わったが、路線に加えた理由が私にはわからない。付近の地下道か地下拠点の修復とか補強とか、地下鉄千代田線とは関係のない工事を命じたのではないだろうか。

調べてみると、この命令の最大のポイントは「有楽町2丁目2番地」にあった。この場所には、関東大震災後に発表された「大東京市復興計画案」を見ると、大きな地下拠点があり、そこから延びる地下道は丸の内1丁目8番地を貫いていた。

丸ノ内線も、わざわざ山手線の下を横切って「有楽町2丁目2番地」を通過するルートを選んでいる。しかし、千代田線のルートからは大きく外れている。

丸の内周辺拡大（明治12年）

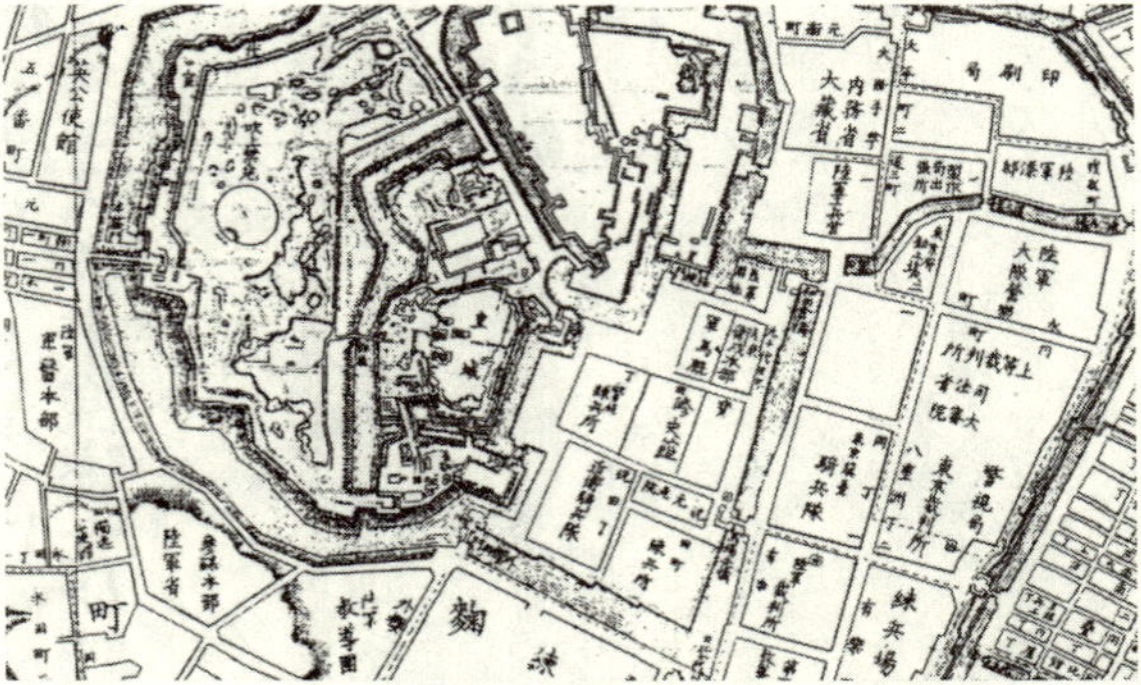

大東京市復興計画案　（『東京実測図』より）

ここに隠された国家機密を消す作業を命じられたとしか考えられない。

地下鉄建設では担当大臣の命令が絶対で、反論も質問も許されていない。営団は命令どおりの工事を完了して千代田線を開通させている。

1960年代に「1－8計画」とコードネームで呼ばれた東京の地下計画が秘かに実施され、見事に成功したという話を官僚や代議士から断片的に聞いたのは、その後のことだ。営団がこのとき工事したのも、この計画にある地下道であったはず。

丸の内1－8、大手町1－8、小川町1－8を通過する地下道は、1960年代に地下鉄工事と称して、秘かにリフォームされたことは間違いない。

93「ミスター検察」が語る「極秘地下鉄建設計画」の謎

１９７１（昭和46）年、当時、「ミスター検察」といわれた検事・伊藤栄樹氏が朝日新聞に「極秘地下鉄建設計画」について全容を語っている。

そこには、戦後26年、戦前のことを忘れはじめた時期に、相も変わらぬ東京の地下の暗部が明かされていた。

地下鉄千代田線の北千住－大手町が１９６９（昭和44）年に開通。北千住から東京拘置所のある小菅へ、大手町から東京地検のある霞ヶ関へ、千代田線の工事は両方向に進んでいた。完成すれば地検と拘置所がつながることになる。

そこで東京地検では、千代田線の線路を利用して容疑者を地検から拘置所に護送しようという計画が検討されていた。

特別急行電車を使い、地検と拘置所に引きこみ線をつくって、誰にも知られず護送する大胆なしくみも、考えられていた。

計画ができた段階で、東京地検は帝都高速度交通営団に実施できるか打診している。営団は、国が工事費を負担し、特別電車も買い上げてくれるなら可能だ、という返事をしたとか。

ちょうど、列島改造ブームのさなかで、日本経済が高度成長している時期であったから予算は確保できる、と見こまれていた。

計画は順調に進み、朝夕2回の運行も決まった。ところが、そこに思わぬ障害が発生する。東京地検のある霞ヶ関は、かつて日比谷入江と呼ばれたところに大量の土砂を持ちこんで埋め立ててできた土地だ。

1959（昭和34）年に庁舎が建てられたとき、鋼鉄のパイルが軟弱な地面に多数打ちこまれた。このパイルの林のなかに駅をつくることは不可能であった。パイルを除去すれば庁舎がこわれる。ということで、計画は挫折した。

朝日新聞を読んだ私は、作り話ではないか、と思った。

なぜなら、専用地下鉄を使うなら話は別だが、営業している千代田線では「極秘」といっても無理がある。

それに庁舎の地盤のことは、営団に打診する前にわかっていたことではないだろうか？話が進んでからわかった、というのは笑い話だ。

朝日新聞はきっと、「こんな馬鹿げたことを地検がまじめに検討していた」ことを告発したかったのだろう。

94 「第二次大戦の総決算」だったサンシャインシティの地下の謎

1978（昭和53）年、豊島区東池袋にサンシャインシティがオープンした。その中核を占めていたのが60階建ての超高層ビル、サンシャインビルだ。高さ226メートルは当時、日本最高記録で、その後12年間、破られなかった。

このサンシャインシティの設計に携わった200人を超える設計士を率いた尾島俊雄・早稲田大学教授は、著書『東京大改造』で次のように述べている。

「サンシャインシティは第二次大戦の総決算として巣鴨拘置所をなくし、一大文化センターにつくり変えるという閣議決定が昭和三三年にされ、その当時の生き残りの人達が中心となって再建運動がはじまったのだ。これはまさしくドラマだった。

『皇国の興廃この一戦にあり』という感じでつくられた戦艦『大和』や『武蔵』と同じような意気ごみで、池袋駅から六〇〇メートルも離れ、事実上人があつまるための足のない場所に一大歓楽街、一大オフィス街をつくるということをやったわけだ。これは戦わずして沈む戦艦『大和』の運命ではないかと最初からいわれていた」

この記述を理解するには、歴史を少しさかのぼらなければならない。

サンシャインシティ地下駐車場（概要図）

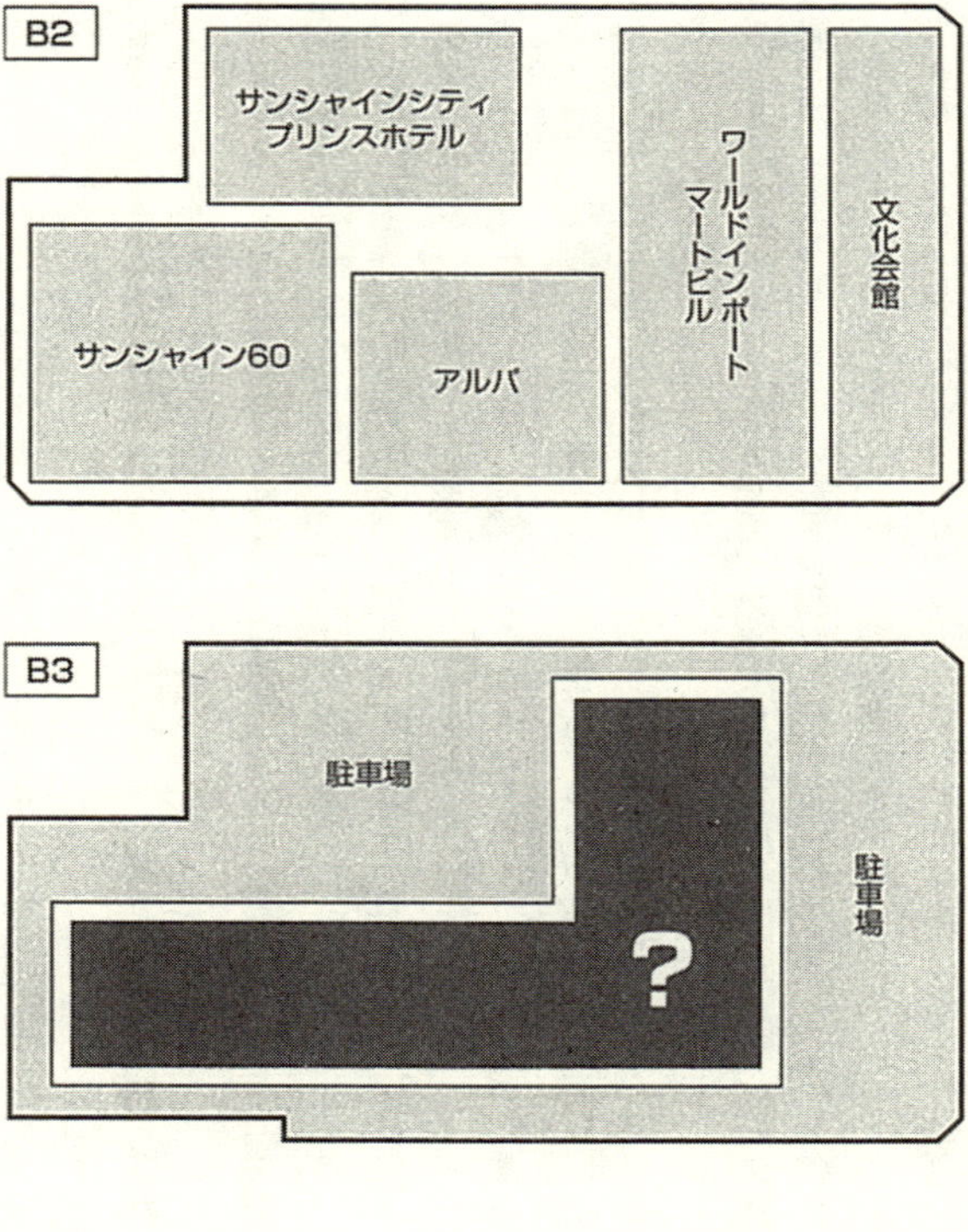

（『サンシャインパーキングマップ』より作成）

ここには、かつて「巣鴨監獄」があり、太平洋戦争直前に「巣鴨拘置所」と名を変えている。

終戦後はGHQに接収されて、名称も「スガモプリズン」となり、A級戦犯とされた人たちがここに収監され、東條英機はここで処刑されている。

1952(昭和27)年、わが国は主権を回復し、連合国軍の占領を解かれて、「巣鴨拘置所」が「東京拘置所」と名を変えて復活。「スガモプリズン」は、1958(昭和33)年までアメリカ軍の管理下におかれ、終身刑を言い渡された戦犯が服役していた。

「スガモプリズン」が完全に返還され、服役していた戦犯(当時、「生き残り」といわれた)が赦免されたのは1958(昭和33)年5月。サンシャインシティの建設計画が固まったのは7月。

時間的にもサンシャインシティの計画は返還前から進んでいたはずだ。調べてみると、2月に東京拘置所の移転が閣議決定されている。

つまり、巣鴨監獄からスガモプリズンまで、第二次世界大戦の暗い歴史を「総決算」しよう、という動きが、ここに服役していた元戦犯たちを中心に高まり、交通の便の悪い場所に一大オフィス街をつくるサンシャインシティの計画が生まれたのだ。

この当時の首相は、東條英機内閣の商工相であり、A級戦犯としてスガモプリズンに収監されたが、不起訴で釈放された岸信介であった。

しかし、実際に小菅に東京拘置所が移転したのは1971（昭和46）年、サンシャインシティがオープンしたのは1978（昭和53）年だ。なぜ、閣議決定から13年も、20年もかかったのだろうか？

その理由は、サンシャインシティ＝巣鴨監獄の地下にある、と私は思っている。サンシャインシティの地下駐車場は、複数のビルの地下にまたがり、首都高の先まで続いている。その広さは普通ではない。

その中央には、何があるのかわからない「巨大な空白」がある。この巨大な駐車場があるスペースには、きっと解体、廃棄しなければならない地下建築があったに違いない。だから服役囚がいないのに拘置所の移転に13年もかかったのであり、交通の便の悪い場所に20年もかかって、高層ビルを建てたのではないだろうか？

尾島教授は、都市環境工学の第一人者で、都市の地下にも詳しいことからサンシャインシティの地下の設計を担当している。

だからこそ「まさしくドラマだった」という実感のこもった言葉が著書に出たのだと、私には思われる。

95 7年も地下鉄工事が止まっていたのに駅だけがつくられた謎

1982(昭和57)年、半蔵門線の渋谷駅から半蔵門駅までが開通している。しかし、その先の工事が、ルートの上に居住する人たちとの補償交渉がこじれ、史上初めて建設工事がストップした。それも7年間も止まったのだ。

地下鉄は道路の下を走っているのが一般的だが、道路幅が狭くてトンネルや駅が私有地にはみ出せば億単位の地下補償をしなければならない。道路から離れて私有地の下を走ると補償は1ケタ上の金額に跳ね上がるといわれている。

半蔵門駅の先は東京でも一等地といわれるところだけに、補償額はかなりの額になったものと思われる。

当時の営団が初めて工事中断を決めたのだから、半端な額ではなかったのだろう。しかし、営団には申し訳ないが、税金という形で建設費を負担させられている国民が初めて地下鉄建設に「NO」といった意味は大きいと、私は思う。

昭和の初め、ビアード博士のいった言葉をもう一度、思い出してみよう。「国および宮内省の所有する街路にも、もとより建設修理点灯せねばならぬ。それを市民が負担する法

はない」(『東京百年史』より)

地下建設に国民が無条件で協力しなければならない法はない。要求すべきは要求する、それは民主主義社会では当然のことだ。

だが、補償交渉で工事が中断していたはずの7年間に、営団は隠れて地下鉄建設を続けていたことが露見する。当時の朝日新聞が、線路は敷かれていないが、ホームや改札などは完成している大手町駅を報じているのだ。

工事の中断を表明していながら、これだ。できるところからつくるのが東京の地下鉄。最終的に全線開通させられれば、どこから工事しようと咎められることはない。

しかし、地下27メートル、大手町駅は地下鉄の駅としてはかなり深い。シールド機を使わず地上から掘ったというが、本当だろうか？　もしかして、隠された戦前の地下道がここにあったのではないだろうか？

大手町には、明治時代、市区改正のころ大蔵省と内務省があり、「市区改正」事業が進まない裏側で、陸軍による地下要塞計画が官庁の地下を拠点に進んでいた。大手町には、そのころつくられた地下拠点や地下道があったはずだ。

これを改造すれば、シールド機を使わず、少し掘るだけで駅がつくれただろう。こんなふうに古い地下拠点、地下道が次々と地下鉄にリフォームされたのだ。

96 「南北線遺跡調査団」の成果と国家の危機管理

1989(平成元)年、「地下鉄7号線溜池駒込遺跡調査会」は、遺跡調査団を組織して、南北線の建設工事と並行して発掘調査を行なっている。

JR四ツ谷駅前通りの地下で、江戸城の外濠がつくられる前の地面が発掘されたことは、本書冒頭で述べた。

この調査団はその後も、皇居北の丸公園でも同じ時代の地面を発見し、千代田区紀尾井町や平河町でも同様の地面を発見している。しかし、いずれも高さ10メートル以上の土砂が上にかぶせられていて、かつての街道も海も、町も見ることはできなかった。

遺跡調査団は、南北線のルートに沿って永田町、霞ヶ関でも調査を行なっており、首相官邸裏の溜池山王駅付近でも念入りな調査が行なわれている。その結果、土砂に隠されていた江戸の町や江戸城に関する秘密が明らかになっている。

その成果も本書の冒頭で紹介したが、国会議事堂や首相官邸、官庁が集中している永田町や霞ヶ関については、公開されなかったデータも少なくなかったようだ。戦争を放棄して平和国家となっても、危機管理の名のもとに地下は隠されている。

たとえば、丸の内や大手町の埋め立ては3メートルほどなのに、霞ヶ関は10メートルも土砂が埋められている。

なぜそうなったのかについては調査報告では何も触れていない。紀尾井町で発見された武家屋敷の、屋敷と屋敷のあいだに延びる深くて広い溝が何だったかについても、具体的な説明を避けている。

調査団の副団長だった北原糸子氏は著書『江戸城外堀物語』で、次のように述べている。

「東京という都市を、ある人は不死鳥、ある人はいずれ死を迎えるべき運命にある都市だという。たしかに、底知れない魅力と魔力に満ちた街には違いないが、それは目に見える世界のことだ。未知の部分を地上ではなく、地下に持っているといってよい。考えてみれば、その大部分は、考古学の対象となる江戸の地下構造物ではないだろうか」

言葉を慎重に選んで、東京の地下に隠されている危険を鋭く指摘している。遺跡調査が国の危機管理と衝突してしまうのが東京の地下だ。

調査団の地道な努力が、隠された秘密の存在を確認し、さらに地下深く隠すことに利用されたとしたら哀しい。

政府が地下の真実を公にしないかぎり、東京は死を迎えるべき運命を避けられないのではないだろうか。東京の地下から秘密をなくしてもらいたい、と私は切に願っている。

97 御徒町《おかちまち》で起こった道路崩落と地下鉄建設の謎

1990(平成2)年、上野御徒町の道路が突然、陥没するという事故が起こった。地質や地震に詳しい専門家に、「道路が長さ15メートルにもわたって、深さ3メートルも陥没するということは、地中に空洞があったということではないですか?」と質問すると、「そうですね」という答えだった。つまり、地中に空洞があったことを肯定したのだ。

さらに、「新幹線工事が原因で地中で爆発が起こった、と新聞に書かれていましたけれど、あれだけの土砂を吹き飛ばす爆発なら、御徒町駅も駅前商店街も吹っ飛んでいたんじゃないですか?」と、質問を続けると、「あそこには陸軍のトンネルがあったんですよ」という答えが返ってきている。

その専門家は「陸軍のトンネルは東京のいたるところにありますが、どこにあるかはわからないんです」とも答えてくれた。

そのときは、そんなものかと軽く考えていた私も、東京の地下に隠された秘密の多さを知った今は、専門家の答えを重く受け止めなければいけないと考えている。

丸ノ内線は本郷三丁目で戦前の4号線のルートを避けて3号線のルートにチェンジして

いる。

　そのため丸ノ内線は上野御徒町の崩落現場に線路を延ばさなかった。都営浅草線も上野御徒町を通る計画があったが、変更されている。

　そこに地下鉄を通すことは、崩落事故の後に都営大江戸線が開通するまでなかったのだ。ということは、ルートを決めた運輸大臣は、そこにかつて陸軍がつくったトンネルがあることを知っていたのではないだろうか？　そして、いつどこで崩落が起きるかわからない状態だったこともわかっていたかもしれない。

　しかし、建設省はその危険を国民に知らせることはなかった。事故後の説明でも、そこにトンネルがあったことにさえ触れていない。

　東京の地下は、戦後何年経っても国家機密のようで、国民に情報は公開されない。

98 都営大江戸線が解決した「昭和の宿題」とは？

　東京都が初めて走らせた地下鉄、都営浅草線は半世紀も赤字を続けた。東京都が最後に走らせた地下鉄、都営大江戸線も赤字を続けている。

　なぜ、赤字を出してまで地下鉄を走らせる必要があるのだろうか、誰もが不思議に思うことだ。

公募で選ばれた路線名を採用せず、東京を一周する路線が「大江戸って感じだな」という石原慎太郎・東京都知事の一言で「大江戸線」になったという話も、権力に支配されてきた東京の地下らしい、といえば、らしいが、なぜ？　という疑問が残る。

都営大江戸線は、東京では30年ぶりの広軌の地下鉄だ。銀座線、丸ノ内線、都営浅草線が広軌で、それ以後の地下鉄は、私鉄に地下鉄路線を開放する「乗り入れ」を進めるために狭軌の線路を使っている。

建設コストの回収、採算性を考えれば私鉄の「乗り入れ」は当然のことだが、都営大江戸線は広軌を採用し、私鉄の乗り入れを認めていない。私には理解できないことだ。それに、かつての地下の要所を見事なまでにつないでいるのも不思議だ。

この路線に課されたミッションはなんなのだろうか？　私の疑問に「昭和の宿題をなしとげた」と答えてくれた人がいる。「昭和の宿題」とは、なんなのだろうか？

都営地下鉄のOB氏によると、大江戸線の建設が決まる前、東京の地下に残っている、戦後ずっと放置されてきた戦前の地下鉄、地下道、地下拠点などをどう処理するか、都庁内に特別委員会が設けられた、という。

シールド機を使えば地下深くても、自由にトンネルが掘れ、補修や改造も容易にできる。

処理が終わったら新しい地下鉄を走らせればいい。大江戸線の建設は、そんなスタンスで決定され、輸送より地下処理を優先することになった。

事故があった上野御徒町の現場もルートに入った。「処理は全体の何パーセントですか」という質問に、OB氏は「全部です」と、冗談とも本音ともとれる笑みを浮かべて答えてくれた。

そこで、江戸時代や明治時代につくられた小さいトンネルだって通れる車両が必要になり、車体は小型化されることに決まったという。

こんな地下鉄も東京の地下には必要なのだろうが、過去の地下要塞建設の「ツケ」を今、払わされているような感じがする。

99 地下鉄副都心線工事で東京都が建設した「街路」の謎

地下鉄東西線高田馬場駅の断面図（235ページ）がある。

左の落合駅方向から来ると、東西線はJRと西武の高架の下で下降し、高田馬場駅付近から上昇しはじめる。

その昇り坂の途中、明治通りの下の辺りに「都市計画街路」という文字が書かれている。

「街路」は今も地下道だが、この「都市計画街路」は、２００８年6月に開通した東京で13番めの地下鉄、東京メトロ副都心線の工事に合わせてつくられた。

東京メトロは帝都高速度交通営団が民営化されて生まれた会社だが、営団のころに建設が始まっている副都心線の建設工事は、国の直轄事業として進められている。

東京の地下鉄建設は昔から国の直轄事業で、誰も口を挟めない。したがって、東京都が東京メトロ（かつての営団）の地下鉄工事に参加するのは珍しいことだが、「都市計画街路」の建設は同時進行で行なわれた。国の道路特定財源から１５６億円の補助を受けてはいるが、自らも出資している。

駅舎およびトンネルの躯体等インフラ部分を道路の一部として、道路の管理者である東京都が工事をしている、のだというが、駅舎は道路の一部だろうか？　地下の常識としてトンネルの上にトンネルはつくらないが、この街路は副都心線はもとより東西線より上にある。

ということは、この街路は東西線が建設される前からあった、ということだ。

だから、街路をつくるとして駅舎をつくったのだ。２００４（平成16）年のことだ。

東西線断面図

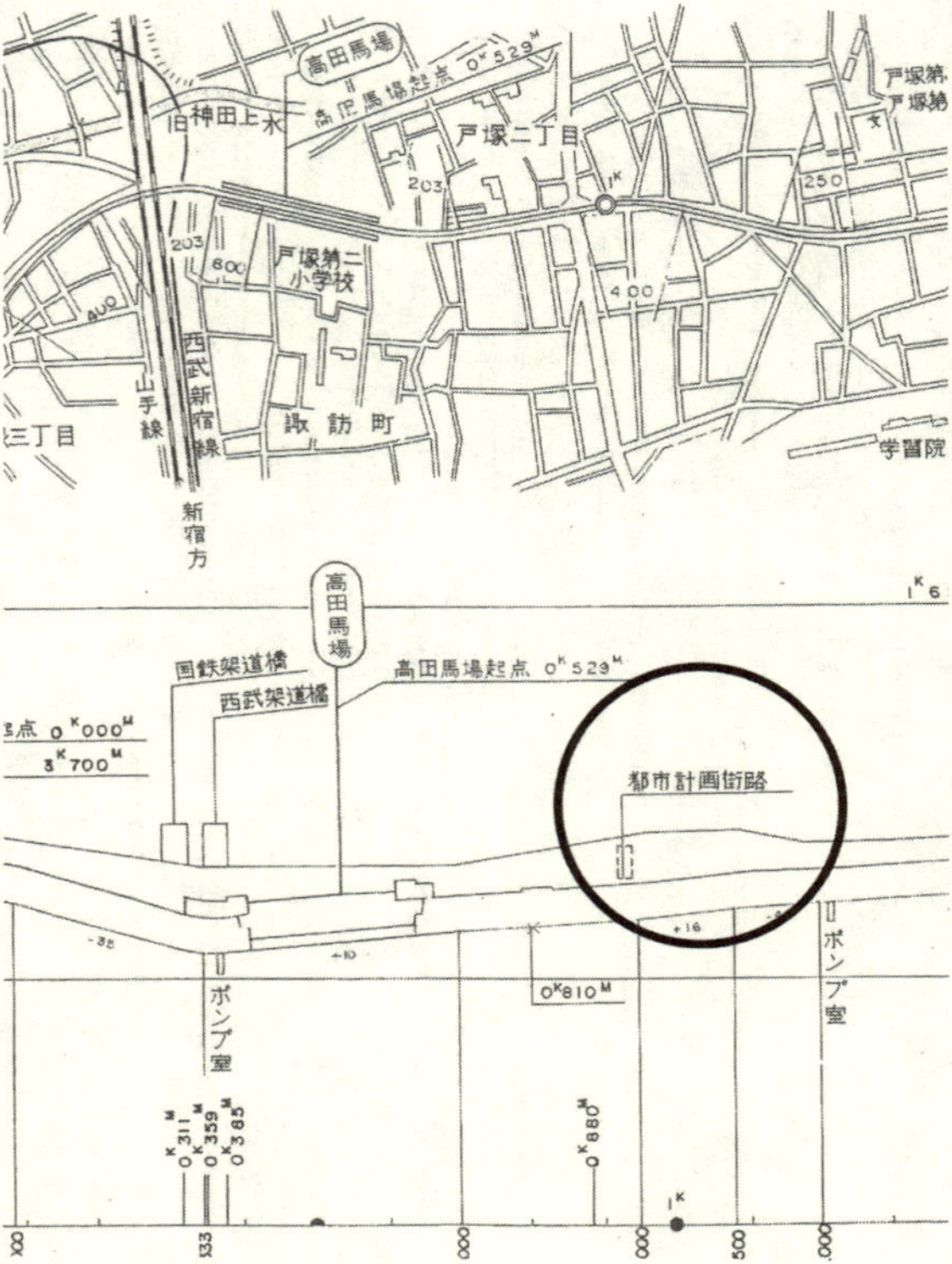

高田馬場
高田馬場起点 0K529M
旧神田上水
戸塚二丁目
戸塚第
戸塚第
203
1K
250
203
600
戸塚第二
小学校
400
400
西武新宿線
山手線
三丁目
諏訪町
学習院
新宿方
1K6
高田馬場
国鉄架道橋
西武架道橋
高田馬場起点 0K529M
起点 0K000M
3K700M
都市計画街路
-35
+10
+16
0K810M
ポンプ室
ポンプ室
0K311M
0K359M
0K385M
0K880M
1K
.000
500
.000

〔参考文献一覧〕

人物について

三井邦太郎編『吾等の知れる後藤新平伯』東洋協会　１９２９／五島慶太他『仕事の世界』春秋社　１９５１

三鬼陽之助『五島慶太伝』東洋書館　１９５４／筑井正義『堤康次郎伝』東洋書館　１９５５

唐沢俊樹他編『五島慶太の追想』五島慶太伝記並びに追想録編集委員会　１９６０／羽間乙彦『五島慶太』時事通信社　１９６２

原奎一郎『原敬日記』福村出版　１９６５〜６７

鶴見俊輔『後藤新平』勁草書房　１９６７／岸信介『岸信介回顧録』廣済堂　１９８３

北岡伸一『後藤新平』中央公論社　１９８８／鈴木武史『星亨』中公新書　１９８８

土岐紀子・沢良子『建築人物群像　追悼編／資料編』住まいの図書館出版局　１９９５

原彬久『岸信介』岩波書店　１９９５／小田急電鉄編『利光鶴松翁手記』大平社　１９９７

君島光夫『地下鉄の父・早川徳次の事業展開とその評価』１９９８／郷仙太郎『小説後藤新平』学陽書房　１９９９

ダグラス・マッカーサー　津島一夫訳『マッカーサー回想記』朝日新聞社　１９６４

寺崎秀成、マリコ・テラサキ・ミラー編『昭和天皇独白録』文藝春秋　１９９１

岡野友彦『家康はなぜ江戸を選んだか』教育出版　１９９９

内務省について

大霞会『内務省史』地方財務協会　１９７１／百瀬孝『内務省』ＰＨＰ研究所　２００１

『東京市電気局三十年史』東京市電気局　１９４０／『電気試験所五十年史』通産省電気試験所　１９４１

下元連『建築家下元連九十六年の軌跡』営繕協会　１９８５

防空について

『セメント・コンクリート標準示方書』内務省　１９３０／『鉄道と防空』鉄道省　１９３７

『戦争と鉄道』鉄道省　１９３７／『防空と都市計画』東京市　１９３８

磯村栄一ほか『防空都市の研究』萬里閣　１９４０／『戦時下の輸送問題』鉄道省　１９４１

『防空と地下鉄道』帝都高速度交通営団　１９４３／町田保『土木防空』常盤書房　１９４３

浄法寺朝美『日本防空史』原書房　１９８１／佐用泰司『海軍設営隊の太平洋戦争』光人社　１９９８

道路関連

『庁舎東京駅間連絡地下道計算書』東京改良事務所　1935
『建築雑誌』日本建築学会　1939・7／『東京都道路要綱』東京都　1945
『日本土木建築史』土木学会　1968／『大成建設のあゆみ』大成建設　1969
日本建築学会編『近代日本建築学発達史』丸善　1972／『清水建設百八十年史』清水建設　1984
日本建築学会編『総覧日本の建築第3巻』新建築社　1987／『鹿島建設百五十年史』鹿島建設　1989
『首都高速道路公団三十年史』首都高速道路公団　1989／『道路現業調査』国土交通省　2002
『西洋建築様式史』新集社編　美術出版社　1995
建築・都市ワークショップ・石黒知子編『不思議建築のレントゲン』INAX出版　1998
『道路現況調査』東京都　2004

地下鉄関連

利光鶴松『東京高速鉄道計画概要』1920／安部邦衛『地下鉄道の話』東京市役所　1928
『市営電車について』東京市電気局　1934／『東京地下鉄道史』東京地下鉄道　1934
五島慶太『東京高速鉄道略史』交通日報社　1939／『東京地下鉄道丸ノ内線建設史』帝都高速度交通営団　1960
『東京市電・東京都電』工作舎　1966
『東京地下鉄道荻窪線建設史』帝都高速度交通営団　1967／『東京地下鉄道日比谷線建設史』帝都高速度交通営団　1969
『昭和を走った地下鉄』帝都高速度交通営団　1970
『都営地下鉄建設史』東京都交通局　1971／沢寿次『山手線物語』日本交通公社　1971
『'72土木工事施行例集4巻トンネル・地下鉄道編』山海堂　1972／『東京急行電鉄五十年史』東京急行電鉄　1973
『東京市電・東京都電』ダイヤモンド社　1976／『昭和を走った地下鉄』帝都高速度交通営団　1977
『'78土木工事施行例集4巻トンネル・地下鉄道編』山海堂　1978／『東京地下鉄道東西線建設史』帝都高速度交通営団　1978
新田潤『上野発浅草行』壱番館　1979／斉藤栄『地下鉄ホームの怪』毎日新聞社　1979
『小田急五十年史』小田急電鉄　1980／『東京地下鉄道千代田線建設史』帝都高速度交通営団　1983
朝日新聞社東京本社社会部『地下鉄物語』朝日新聞社　1983／中川浩一『地下鉄の文化史』筑摩書房　1984
『東京地下鉄道有楽町線建設史』帝都高速度交通営団　1996／林順信『都電が走った街　今昔』日本交通公社　1996
『京王電鉄五十年史』京王電鉄　1998／『東京地下鉄道半蔵門線建設史』帝都高速度交通営団　1999
原口隆行『日本の路面電車Ⅱ』日本交通公社　2000／『東京地下鉄全駅ガイド』人文社　2001

『東京地下鉄道南北線建設史』帝都高速度交通営団　２００２

都市計画ほか

中村順平『東京の都市計画を如何にすべき乎』洪洋社　１９２４／C・A・ビアード博士『東京の行政と政治』１９２４
ル・コルビュジエ　吉坂隆正訳『モジュロール２』美術出版社　１９６０
ル・コルビュジエ（板倉準三訳）『輝く都市』丸善　１９５６／ル・コルビュジエ（板倉準三訳）『輝く都市』鹿島研究所　１９６８
ル・コルビュジエ　吉坂隆正訳『建築をめざして』鹿島出版会　１９６７
『内田祥三先生作品集』鹿島研究所出版会　１９６９
宮元健次　『江戸の都市計画』講談社選書　１９９６
『日本の電話』朝日新聞社　１９６７／浄法寺朝美『日本築城史』原書房　１９７１
W・ボジガー、O・ストノロフ編　吉坂隆正訳　『ル・コルビュジエ全作品集　第一巻』A．D．A．EDITA　TOKYO　１９７９
中村順平『建築という芸術』相模書房　１９７８／近江栄・藤森照信『近代日本の異色建築家』朝日新聞社　１９８４
藤森照信『明治の東京計画』岩波書店　１９８２／『大深度地下利用調査報告書』総理府　１９８６
『公企業特権としてのトンネル敷設権』総理府　１９８６／尾島俊雄『東京大改造』筑摩書房　１９８６
鈴木理生『江戸の都市計画』　三省堂　１９８８
鯖田豊之『都市はいかにつくられたか』　朝日新聞社　１９８８
高橋康夫・吉田伸之編『日本都市史入門Ⅰ　空間』　東京大学出版会　１９８９
高橋康夫・吉田伸之編『日本都市史入門Ⅱ　町』　東京大学出版会　１９９０
高橋康夫・吉田伸之編『日本都市史入門Ⅲ　人』　東京大学出版会　１９９０
越沢明『東京の都市計画』岩波書店　１９９１／越沢明『東京都市計画物語』日本経済評論社　１９９１
松浦茂樹『明治の国土開発史』鹿島出版会　１９９２／尾島俊雄『地域冷暖房』早稲田大学出版部　１９９４
東京下水道史探訪会『江戸・東京の下水道のはなし』技報堂　１９９５／五十嵐敬喜　小川明『公共事業をどうするか』岩波新書　１９９７
東秀紀　『荷風とル・コルビュジエのパリ』新潮社　１９９８
童門冬二『江戸の都市計画』文春新書　１９９９／尾島俊雄監修『都市居住環境の再生─首都東京のパラダイム・シフト』彰国社　１９９９
板谷利香編『ル・コルビュジエ　建築・家具・人間・旅の全記録』　エクスナレッジ　２００２

地図関連、23区の歴史ほか

『赤坂区史』赤坂区役所　１９４１／測量・地図百年史編集委員会編『測量・地図百年史』国土地理院　１９７０

織田武雄『地図の歴史—世界編』講談社現代新書　１９７４／練馬区郷土史研究会『練馬区の歴史』名著出版　１９７７
林英夫『豊島区の歴史』名著出版　１９７７／杉並郷土史会『杉並区の歴史』名著出版　１９７８
岡田喜雄編『地図をつくる—陸軍測量隊秘話』新人物往来社　１９７８／関利雄・鎌田優『中野区の歴史』名著出版　１９７９
金井利彦『新宿御苑』郷学舎　１９８０／前島康彦『日比谷公園』郷学舎　１９８０
金井利彦『お濠をめぐって』郷学舎　１９８１／前島康彦『皇居外苑』郷学舎　１９８１／福島鋳郎『G.H.Q.東京占領地図』雄松堂　１９８７
千代田区立四番町歴史民俗資料館編『目で見る千代田区の歴史』千代田区教育委員会　１９９３
原田弘『ＭＰのジープから見た占領下の東京』草思社　１９９４
建設大臣官房官庁営繕部監修『霞ヶ関１００年—中央官庁の形成』公共建築協会　１９９５
千代田区教育委員会『発掘が語る千代田の歴史』１９９８／鈴木理生『東京の地理がわかる事典』日本実業出版社　１９９９
北原糸子『江戸城外濠物語』ちくま新書　１９９９／宮田章『霞ヶ関歴史散歩』中公新書　２００２
原武史『皇居前広場』光文社新書　２００３
『エリアマップ東京』（昭文社）
『大きな字の地図で東京を歩こう』（人文社）

写真資料

『函館市史』通説編第一巻・昭和５５年２月発行・編集発行・函館市
『千代田区史』千代田区　１９６０
品川区文化財研究会『品川区の歴史』名著出版　１９７９
『函館市史』函館市　１９８０
樋渡達也『東京の港と海の公園』郷学舎　１９８１
飯田龍一、俵元昭『江戸図の歴史』築地書館　１９８８
吉原健一郎、俵元昭、中川忠司編『復元・江戸情報地図』朝日新聞社　１９９４
『永田町ってどんなとこ？』アズ・コミュニケーション　１９９５
同潤会江戸川アパートメント研究会編『同潤会アパート生活史〜江戸川アパート新聞から』住まいの図書館出版局　１９９８

雑誌記事（戦前）

平山復二郎「復興局の街路工事」『道路』道路協会　１９２５・３
檜山親民「東京市の地下電鉄線路網の敷設様式に就いて」『道路』道路協会　１９２５・３

岸一太「地下埋設工事と舗道の破壊」『道路』道路協会　1925・5／伊地知季一「地下埋設物に就いて」『道路』道路協会　1925・5
石田司郎「軌道敷舗装について大道電気局長へ」『道路』道路協会　1925・8
藤井眞透「明治神宮外苑道路について」『道路』道路協会　1925・8
東京市電気局工務課員「大道電気局長に代りて石田氏に答ふ」『道路』道路協会　1925・9
石田司郎「電気局工務課員某氏の御答を得て」『道路』道路協会　1925・11
青山泰明「東京市内外濠改良計画に就いて」『道路』道路協会　1925・11
一柳幸永「道路工事に基因する電気工作物の撤去移転又は変更の費用負担に関する私見」『道路』道路協会　1925・11
「東京駅から丸ビルへ　大地下道の計画」『道路』道路協会　1925・12
岸一太「帝都復興建物に対する二大脅威」『道路』道路協会　1926・1
金子源一郎「九段坂に建設せる地下埋設物用共同溝」『都市工学』都市工学社　1926・8
山崎桂一「帝都の街路を巡る」『エンジニアー』都市工学社　1930・10／「明治神宮造営史」『都市公論』1931・8
「新宿駅広場および付近改良計画」『都市公論』1933・8／岸田日出刀「宮城外苑整備計画について」『建築雑誌』日本建築学会　1939・7
「新宿駅前広場を語る」『都市』1939・10／五島慶太「都市交通問題について」『都市公論』不二出版　1940・1

雑誌記事（戦後）

竹山謙三郎「東京礫層の発見」『建築技術』建築技術　1959・6
青木勝三郎「陸地測量部の沿革について」『測量』日本測量協会　1965・8
「鉄道100年を期して東京地下駅オープン」『週刊文春』7月24日号　1972
「赤坂〜信濃町間に新東京駅ができる」『潮』　1973・1
海老原一郎「燃える心と覚めた眼で」『新建築』　新建築社　1981・4
海老原一郎「燃える心と覚めた眼で」『新建築』　新建築社　1981・4
持田信樹「後藤新平と震災復興事業」『社会科学研究』東京大学社会科学研究所　1983・8
吉田滋、太田義和、八代厚「半地下、掘割構造道路の環境特性」『高速道路と自動車』高速道路調査会　1985・4
藤井義昭「日本道路公団日比谷自動車地下駐車場集中監視制御システム」『明電時報』明電舎　1986・5
季武嘉也「大正期における後藤をめぐる状況」『史学雑誌』山川出版社　1987・6
西淳二「地下空間利用の歴史的背景」『土と基礎』地盤工学会　1990・4
小林経夫ほか「地下駐車場ネットワーク」『都市計画』日本都市計画学会　1991・9
原田勝正「幻の防空用地下鉄道」『日本歴史』吉川弘文館　1992・1

田原鑑二、石田剛、星田直也「北総線、都道451号線架動橋の設計と施工」『土木技術』土木技術社　1992・3
足立利昭「国会議事堂　その歴史とエピソード」『月刊自由民主』1993・8
長岡正利「幻の昭和一九年地図一覧図」『地図』日本国際地図学会　1993・12
清水靖夫「昭和一〇年代に作成された東京西郊の三千分の一地形図について」『地図』日本国際地図学会　1996・3
長岡正利「陸地測量部発行地図を中心として見た昭和前期の地図事情とその地図見本」『地図』1996・12
菊地俊明「赤坂地下駐車場（地下空間を有効利用した駐車場整備）」『土木施工』山海堂　1997・1
小山幸則「トンネル・地下構造物」『土と基礎』地盤工学会　1999・11

本書で使用した地図

『大東京全図』麹町区詳細図　淀橋区詳細図　内務省　1941／『TOKYO　MAP』「AMSL774」GHQ　1952
『でっか字ニュータイプ「東京23区」』昭文社　2007／東京都交通局ホームページ「都営地下鉄・各駅情報・都営浅草線五反田駅」
東京地下鉄株式会社ホームページ「電車・駅の利用案内・駅情報・千代田線新御茶ノ水駅・駅周辺地図／丸ノ内線銀座駅・駅周辺地図」（昭文社提供）
Yahoo!　地図情報「東京都千代田区神田駿河台2丁目の周辺地図」（アルプス社提供）
地図・写真関係
「懐宝御江戸絵図」須原屋茂兵衛　1811
「改正東京全図」嵯峨野彦太郎　1895
「東京市区改正全図」管報第二千五号附録　1890
「東京輻輯地図」　陸地測量部編　1911
「東京方眼図」森林太郎　春陽堂　1909
「東京商業地図」九十九商会1921
「ニューエスト13東京都区分地図」昭文社　2003
「ユニオンマップ東京区分ワイド都市地図集」国際地学協会　2003
『大きな字の地図で東京歩こう』（人文社）

ウエブ情報

東京地下鉄株式会社ホームページ
東京都交通局ホームページ

ＪＲ東日本旅客鉄道株式会社ホームページ
商店街振興組合エスプラナード赤坂ホームページ
中央区観光協会ホームページ
りんかい日産建設ホームページ
日枝神社ホームページ
駅探駅前ブログ「東京駅ガイド」
蔵前タウンガイド
地下鉄銀座線いろいろ
江戸の旧跡めぐり「駅名の由来」
フリー百科事典『ウィキペディア』「四ツ谷」、「市ヶ谷」
フリー百科事典『ウィキペディア』「都営三田線」萬世橋駅
フリー百科事典『ウィキペディア』
「ウイリアム・アダムス」、「江戸城」、「後藤新平」、「五稜郭」、「三十年戦争」、「宗教改革」、「震災復興再開発事業」、「土浦城」、「徳川家康」、「都市計画家」、「支倉常長」、「ヤン・ヨーステン」。
東京都ホームページ　都市整備局都市計画事業「東京の都市計画の変遷」
ミッド・トウキョウ・マップ　「明治維新」
築土神社ホームページ　「太田道灌」
新潟県新発田市ホームページ　歴史と概要「新発田城の概要」
北国新聞ホームページ　加賀百万石紀行「築城金沢・匠の心」
広島大学ホームページ　大学院工学研究科杉本俊多教授「気になること」
社団法人東京建築業協会ホームページ　「江戸城の建設」菊岡倶也（東建月報２００３・６）
Ｋみむのホームページ　「丸岡城」「宇和島城」
アサヒ・ネット　「ミュンスター便り」永田秀樹
レイライン・ハンティング　「天海僧正の風水的都市計画」

国会議事堂関連

『帝国議会議事堂建築報告書』大蔵省営繕管財局　１９３８
服部恵竜『国会あちらこちら』　信貴書院　１９６０

清瀬一郎『秘録東京裁判』 読売新聞社 1967
日本城郭資料館編『城郭』 日本城郭資料館出版会 1969
読売新聞解説部 『国会おもて裏』 読売新聞社 1978
『国立国会図書館三十年史』 国立国会図書館 1979
『国会議事堂』 共同通信社 1990
松山巌・文、白谷達也・写真『国会議事堂』 朝日新聞社 1990
大須賀瑞夫『首相官邸』 朝日ソノラマ 1995
蛇口健一『国会ってどんなとこ?』 ローカス 2000

二見文庫

大東京《だいとうきょう》の地下《ちか》400年《ねん》 99の謎《なぞ》

著者　秋庭《あきば》 俊《しゅん》

発行所　株式会社 二見書房
東京都千代田区三崎町2-18-11
電話 03(3515)2311［営業］
03(3515)2314［編集］
振替 00170-4-2639

編集　K.K.インターメディア
印刷　株式会社 堀内印刷所
製本　村上製本

落丁・乱丁本はお取り替えいたします。
定価は、カバーに表示してあります。

ISBN978-4-576-08151-9
http://www.futami.co.jp/